CYWION UFFERN

Sonia Edwards

Gwasg
Gwynedd

Argraffiad Cyntaf – Tachwedd 2000

© Sonia Edwards 2000

ISBN 0 86074 167 2

*Cyhoeddwyd ac Argraffwyd
gan Wasg Gwynedd, Caernarfon*

I
RHYS

Sgin

Mi wylion ni'r cnebrwn nes diflannodd o o'r golwg i lawr Allt Plas 'fath â neidar lwyd. Cnebrwn tad Huwi.

'Uffar o hers smart,' medda Bỳch. Mi oedd ei lygaid o'n sgleinio fel platia, yn fawr ac yn llonydd fel oeddan nhw'n arfar bod ers talwm pan fydda fo'n sniffian gas leitar yn sied Yncl Ifi.

'Mercedes Benz,' medda Dyf. 'Mi fasa honna'n gneud cant a hannar mewn cachiad 'sat ti'n cael ei hagor hi allan ar Lôn Twyni. Be ti'n ddeud, Sgin?'

'Cau hi'r prat!' medda fi. Mi oedd Dyf yn seico lle oedd ceir yn y cwestiwn. Yn medru hotweirio rwbath. Mi fu bron iddyn nhw â'i yrru o i Borstal 'radag honno am ddwyn fan fara Sunblest o tu allan i Kwiks. Ond ar y boi bara'i hun oedd y bai, siŵr Dduw. Yn gadael y goriad ynddi hi. Uffar o demtasiwn, yn doedd, i foi wedi cael *deprived childhood* fath â Dyf. Neu dyna ddywedon nhw amdano fo yn y cwrt er mwyn i'r barnwr fod yn gleniach hefo fo. Ddaru o ddim mynd yn bell hefo'r fan chwaith, chwarae teg, o achos bod o wedi trio dreifio allan trwy'r mynediad ond roedd hwnnw'n wan-we ac mi fachodd y teiars yn y sbeics metel 'na maen nhw'n eu rhoi mewn llefydd wan-we rhag ofn i bobol wneud fel oedd Dyf newydd wneud. Prat go iawn, ta be? Mi ddeudon nhw bod rhaid i'w dad o dalu am y teiars – trwy dynnu dwy bunt yr wythnos o'i bres dôl. Doedd hynny ddim yn swnio'n rhy ddrwg, nag oedd? Neu dyna feddyliodd Dyf. Dyna feddyliodd ei dad o hefyd, nes iddyn nhw ddeud wrtho fo bod teiars fan Sunblest yn costio dros ganpunt yr un ac y byddai gweithiwr cymdeithasol yn galw yn rheolaidd i weld y teulu i gyd am y chwe mis nesa'. Wel, ma' tad Dyf yn foi calad. 'Dach chi'n gwybod be dwi'n feddwl, tydach? Calad go iawn. Tatŵs hôm-mêd mewn llefydd nad ydi'r haul ddim yn tywynnu, a'r llythrennau L-O-V-E mewn Indian inc ar figyrnau'i law dde a H-A-T-E ar ei law chwith. 'Dach chi'n nabod y teip. Cadw Rottweiler hefo coler styds sy'n byta hoelion a thina trowsusa. Fuo'r gweithiwr cymdeithasol ddim yn agos i'r tŷ, na neb o'r bobol lles plant oedd wedi cadw cefn Dyf yn y llys. Felly doedd 'na neb i ddweud dim byd pan ddoth Dyf i'r ysgol drannoeth hefo llygad ddu a'i fraich mewn sling yn edrych yn fwy o *deprived child* nag a wnaeth o erioed.

Ond y diwrnod hwnnw, diwrnod cnebrwn tad Huwi, mi ddeudish i wrth Dyf am gau'i geg. Nytar ydi o, rêl ei dad. Mul rowch chi, mul gewch chi. A doeddwn i ddim wedi sbio llawar ar yr hers ei hun, dim ond ar Huwi a'i fam yn ista yn sedd gefn y car du crand arall oedd yn mynd tu ôl iddi. Mi oedd Huwi'n edrach yn ddiarth i gyd a lliw crio arno fo. Mi oedd ei fam o'n sbio'n syth o'i blaen a'i hwyneb hi'n gwneud dim byd. Rêl tyrcan fuo mam Huwi erioed. Byth yn gadael i ni fynd i'r tŷ, 'mond siarad hefo Huwi ar stepan drws. Snoban. Huwi druan. Mi oedd o a'i dad yn fêts achos bod ei dad o'n rhoi smôcs iddo fo a chaniau o gwrw heb iddi hi fod yn gwybod. Y ddau'n cadw ar ei gilydd. Mêts. A dyna pam wylltiais i hefo Dyf. Mi oedd o'n fanno'n mwydro ac yn smocio stwmps tra bod tad Huwi'n pasio mewn bocs a'i goesa' fo ar goll. Iesu, mi oedd gin i bechod dros Huwi. Mi oedd yntau'n uffar bach calad hefyd. Caletach na Dyf na fi na Bŷch na neb. Mi oeddan ni'n sbio i fyny ato fo, mewn ffordd, heb i neb ofyn i ni. A fo oedd arweinydd ein criw bach ni, heb i neb ofyn iddo fynta. Fel'na oedd pethau. Ond am y munudau hynny tra oedd yr hers yn pasio mi oedd Huwi fel pawb arall. 'Fath â ni. Mi ges i lythyr ganddo fo bythefnos yn ôl, o Lerpwl. Wedi'i sensro. Inc trwm drwy'r geiriau budron i gyd. Mi oedd o'n gofyn i mi fynd i edrach amdano fo, yn deud bod y lle'n afiach ac ogla piso ym mhobman a faswn i'n mynd â smôcs iddo fo. Mi ddaru o ofyn am lot o betha',

ond mi oeddan nhw ar goll o dan yr holl groesi-
allan. Fedrwn i ddim dallt ei sgwennu fo – mi oedd
o'n uffernol o flêr, ar draws y dudalen i gyd, fel
sgwennu Taid ar ôl iddo fo gael strôc. A finna'n
methu dallt pam – gwybod rŵan, tydw? Uffarn
dân, mae hi'n chwith meddwl...

Dyf

Mi oedd Sgin yn mynd ar fy mrêns i'r pnawn hwnnw. Meddwl bod o'n uffar o foi, deud wrthan ni be i wneud a ballu. Jyst o achos nad oedd Huwi yno. Ar Huwi'r oeddan ni wedi gwrando erioed. Achos nad oedd o ddim yn cymryd dim crap gan neb. Ond oedd Huwi'n brysur, doedd? Yn claddu'i Hen Ddyn. A dyna pam oedd Sgin wedi meddwl ei fod o'n rhyw fath o *second-in-command*. Dowch i'r lle-a'r-lle; awn ni i wneud y peth-a'r-peth. Mi oedd Bỳch a fi'n sbio ar ein gilydd ac yn dweud, hefo'n llygaid: Pwy ddiawl ma'r crinc yma'n feddwl ydi o? Mae Sgin fel'na ers 'Rysgol Bach – meddwl bod o'n cŵl ond dydi o ddim. Fo oedd y cynta yn fanno i gael siafio'i ben. Meical oedd ei enw fo tan hynny. Wedyn mi aeth o'n 'Sgin', do? 'Sgin' am 'sgin-hed'. A sgwario. Meddwl ei fod o'n edrach yn galad. Ond mi oeddan ni'n gwybod y gwir, yn doeddan? Huwi a Bỳch a fi. Llond pen o lau oedd gynno fo, de? Mi ddoth i'r ysgol un bora wedi'i gneifio i gyd ac ogla paraffin arno fo. Byw efo'i nain, doedd, a honno'n hen-ffasiwn 'fath â jwg, ac yn rhy dynn i fynd i siop y cemist 'run fath â phawb arall. Felly mi roddodd hi baraffîn ar ei ben o i ladd y llau fel roedd pobol yn ei wneud amsar rhyfal! Uffar, mi oedd o'n drewi.

'Paid â rhoi smôc iddo fo amsar chwara, Dyf!' medda Huwi. 'Ma' hi'n beryg i neb danio matsian yn ei ymyl o heddiw, rhag ofn iddo fo fynd i fyny fel Gei Ffôcs yn yr ha!'

Iesu, oedd, mi oedd Huwi'n gês. Yn tynnu ar Sgin o hyd ac o hyd, pryfocio, chwarae triciau, ei dynnu o i drwbwl. Mi oedd o'n plagio cymaint arno fo mi oedd o bron fel bwlio ac eto mi oeddach chi'n medru gweld bod Sgin yn hanner ei addoli o, yn ei ddilyn o o gwmpas fel ci rhech. A dwi'n meddwl, yn ddistaw bach, bod Huwi'n eitha lecio hynny, lecio bod yn 'Fi Fawr'. Welson ni erioed mohono fo'n crio. Ond y diwrnod hwnnw, mi newidiodd petha. Nid Huwi oedd o rywsut. Wel, nid yr Huwi oeddan ni'n ei nabod. Mi oedd o'n edrach 'fath â hen ddyn. Hen ddyn bach, bach hefo wyneb bach, bach. Hen ddyn, ond hefo wyneb Huwi. Mi oedd hi fel tasa fo'n daid iddo fo'i hun.

'Mi ddylan ni i gyd fod wedi mynd,' medda Sgin, ar ôl i'r ceir cnebrwn basio.

'Lle?' medda Bŷch.

'I'r cnebrwn, siŵr Dduw!' medda Sgin wedyn. Mi oedd fy mysedd i'n ysu isio rhoi peltan iddo fo. Achos bod o'n deud y gwir. Achos nad oeddwn i wedi meddwl am ddeud hynny, am fynd i'r cnebrwn.

'Callia,' medda fi. 'Fasa mam Huwi ddim isio ni yno, na fasa? Ti'n gwbod sut un ydi hi.'

Mi oeddan ni i gyd yn ddistaw am dipyn, nes i Bŷch sbio i lawr ar ei drênyrs a deud:

'Sgynnon ni ddim dillad-mynd-i-cnebrwn eniwe.'

'Mi ddylan ni fod wedi mynd,' medda Sgin wedyn. 'Ni ydi'i fêts o.'

'Rhy blydi hwyr rŵan,' medda fi. Mi fasach chi'n meddwl, o'r ffordd roedd o'n siarad, nad oedd gan yr un ohonon ni ots am Huwi heblaw amdano fo. Mi oedd o'n mynd dan fy nghroen i. Mi ddylan ni fod wedi hyn, ddylan ni ddim bod wedi'r llall. Ond doeddwn i ddim isio mynd i gwffio hefo fo'r diwrnod hwnnw oherwydd Huwi, yr hers, bob dim. Felly dyma fi'n estyn ffag a deud: 'Bŷch, ti isio drag?' heb gynnig dim i Sgin a gweld llygaid Bŷch yn goleuo o achos bod hwnnw'n smocio rwbath, o ddail carn 'rebol i ganabis. Dyna pam, erbyn heddiw, bod ganddo fo ŵy wedi'i sgramblo yn lle brên.

Mae'r driniaeth yn gweithio, medda fo. Mi aethon nhw â fo i'w llnau o allan. *Rehab*. Fynta'n gorfod cyfaddef bod ganddo fo broblem. Ista o gwmpas hefo jyncis eraill yn sôn am pan oeddan nhw'n blant bach a ballu. Mi oedd hi'n rhyfedd, ar y pryd, meddwl amdano fo'n cymryd rhan mewn rhyw falu cachu felly – 'S'mai? Bỳch di'n enw fi a dwi'n jynci!' Ond mi oedd o'n lecio hynny i gyd, medda fo. Be? medda fi wrtho fo, blydi lol. Naci, medda fo wedyn. Dyna'r tro cynta yn ei fywyd o i neb wrando go iawn ar yr hyn oedd ganddo fo i'w ddweud. Mi oedd ei lygaid o'n sgleinio fel petai o ar rywbeth o hyd. Ond doedd o ddim. Mi oedd o'n lân erbyn hynny. Wedi dod oddi ar y 'meths' a phob dim. A dyma finna'n dweud:

'Crap 'di hynny, Bỳch! Dwi'n gwrando arna chdi, tydw?'

Mi aeth Bỳch yn ddistaw i gyd pan ddywedais i hynny. Sbio arna i a dweud dim byd, a doedd ei wyneb o ddim wedi newid rhyw lawer ers pan oedd o'n ddeuddeg oed.

'Dwi'n dal isio fo, sti, Dyf.'

Be oeddwn i i fod i'w ddweud? Achos mi oedd Bỳch yn dioddef. Mi oedd o bron ar ei liniau isio stwff, isio fo o waelod ei galon, a'r ddau ohonon ni'n gwybod na fasa fiw iddo fo. Un ffics. Dim ond un. Wan-we'n ôl i Uffern. A'r unig beth fasa'n rhoi gwên ar ei wyneb o. Mi oeddwn i'n teimlo fel rhoi tenar iddo fo a dweud wrtho fo am fynd at ddrws cefn y 'Dragon' i chwilio am Larri Fawr. Mi oeddwn i gymaint o isio iddo fo deimlo'n hapus, tasai hynny ddim ond am ychydig bach. Ond fasai waeth i mi fod wedi rhoi gwn ar ei dalcen o ddim.

'Isio ffics,' medda fo wedyn. 'Rwbath i 'nghnesu fi...'

Mi daniais i smôc iddo fo o achos bod ei ddwylo fo'n crynu gormod i wneud hynny iddo fo'i hun. Crynu-bron-â-drysu oedd o, effaith isio drygs, nid effaith teimlo'n oer, er bod Bỳch wedi edrach yn oer erioed. Ers 'Rysgol Bach pan oedd o'n cyrraedd heb gôt ganol gaeaf a hithau'n chwipio rhewi; ei drwyn o'n rhedeg a'i lewys o'n rhy fyr, yn dangos croen gwyn ei arddyrnau main. Golwg eiddil arno fo. Ond mi oedd o'n wytnach na'i olwg. Diawl bach sydyn hefo'i ddyrnau ac yn chwim ar ei draed. Rhedwr cyflyma'r flwyddyn. Mi fasai wedi gwneud rhywbeth ohoni petai o wedi cael chwarae teg. Cael cyfle. Ond dyna fo, de? Mi gafodd flas ar betha' eraill yn gyntaf, yn do?

A rhannu smôc ddaru ni'r pnawn hwnnw hefyd. Pnawn cnebrwn tad Huwi. Pnawn pell, pell yn ôl pan oedd gobaith, o ryw fath, i ni i gyd. Hyd yn oed i Huwi. Mi rannon ni smôc, Bỳch a fi. Silc Cyt, Lo Tar. Ei phasio hi bob yn ail, o'r naill i'r llall, fel tasan ni'n bartnars mewn ffilm ryfel. Fel dau sowldiwr wedi dod yn fêts gorau yn ista a'u tinau yn y mwd a thwrw boms a saethu o'u cwmpas nhw ym mhob man. Ond maen nhw'n deud: Uffar otsh – gymran ni smôc bach. Ac yn setlo wedyn mewn ffos yn rhywle i wardio a'u cefnau at y twrw i gyd dim ond i smocio ac i siarad am bob matha o betha fel tasan nhw'n ofni eu bod nhw'n mynd i farw cyn gorffen dweud pob dim. Felly oedd Bỳch a fi. Dim ond nad oeddan ni'n siarad. Y pnawn hwnnw mi oedd ein llygaid ni'n ddigon. Ni'n dau oedd y partnars, yn sbio ar gnebrwn tad Huwi. Ni'n dau. A Sgin. Sgin ar ei ben ei hun am fod Huwi'n mynd tu ôl i'r hers. Sgin yn trio bod yn fòs, yn gwybod ein bod ni'n fwy o ffrindiau hefo'n gilydd nag oeddan ni hefo fo. Sgin yn methu dygymod hefo hyn i gyd, yn sefyll ar wahân, yn meddwl ei fod o'n well na Bỳch a fi. Sgin yn cicio cerrig yn erbyn y wal, yn rhwbio'i wyneb hefo'i lawes ac yn trio dweud bod pry neu rywbeth wedi mynd i'w lygad o. Mi oedd Bỳch a fi'n gwybod mai isio crio oedd arno fo.

Mi fasach chi'n meddwl, o'r ffordd yr oedd Sgin yn ymddwyn, mai fo oedd yr un oedd newydd golli'i dad.

Bỳch

Be? O flaen pawb? Be 'dach chi'n feddwl: 'Pawb
yn yr un cwch'? 'Dach chi ddim yn gorfod ei
wneud o, nac 'dach? Siarad o flaen pawb, dweud
petha preifat amdanoch chi'ch hun. Sgynnoch chi
ddim syniad...! Be 'dach chi'n feddwl: 'Wrth gwrs
bod gynnoch chi.'? Jynci? Chi? Ond chi ydi'r bòs
yn y lle 'ma. Yr arweinydd pwysig. Y boi sy'n
mynd i roi'n penna ni i gyd yn ôl mewn trefn!
'Dach chi ddim yn edrach fel... Be? Galw 'ti'
arnach chi? Dwi ddim yn gwybod os fedra i...
ocê... mi dria i... Ti. Chdi. Ti ddim yn edrach fel
tasat ti wedi bod yn un ohonon ni...

Ti'n siŵr na ddaw 'na ddim mwy o bobol?
Nerfus? Siŵr Dduw 'mod i'n blydi nerfus! Dwi'n
cachu brics, mêt! Sgin ti ffag...? Ocê ta, mi wneith
coffi'r tro. Be ti'n feddwl: dim ond rhyw hanner
dwsin ohonon ni! A rho'r gora i ddeud y geiria
mawr 'na. Anffurfiol. Ydw, dwi'n gwybod am lot o
eiria hefo 'ff's ynddyn nhw ond dydi hwnna ddim
yn un ohonyn nhw! Be... ista'n y fan yma...? Pawb
ddweud ei enw? O. Ocê. Haia – helo – s'mai? Be,
Andy? Haia. A Chris. Andy, Chris, Sarah, Iwan,

Jen. A fi. O, ia, sori. Bỳch ydw i. Bỳch am 'bychan'! Does neb yn defnyddio fy enw iawn i. Dwi ddim yn siŵr iawn dwi'n ei gofio fo fy hun...

Mae hynny'n broblem rŵan. Yn boen. Methu cofio. Enwau. Rhifau. Wynebau. Ocê, dwi erioed wedi bod yn un da am gofio petha – petha yn yr ysgol a ballu. Ecsams ac ati. Ffeithia. Mi oedd yr athrawon yn cega arna i o hyd, ac yn gofyn petha hurt fel pam ôn i'n cofio enwau tîm Lerpwl i gyd ac yn anghofio petha'r oeddwn i wedi clywed amdanyn nhw mewn gwersi'r diwrnod cynt. Ond nid anghofio oedd hynny, siŵr Dduw. Doeddwn i ddim isio cofio'u blydi gwersi nhw, nag oeddwn? Dim blydi pwynt, nag oedd? Faint haws oedd rhywun fel fi o wybod am feirdd wedi marw a sut i dorri llygod mawr yn ddarnau er mwyn sbio'u perfedd nhw? Rhai wedi marw oedd y rheiny hefyd. Bôring. Mi fasai wedi bod yn fwy o hwyl cael 'deisectio' bardd. Gwaed yn sbyrtio i bob man. Mi welais i ffilm unwaith lle ddaru nhw dorri corff hefo tsiên-so. Uffernol. Dim byd tebyg i agor ll'godan fawr.

Mi oedd yna lygod mawr yng nghefnau'r tai rhes lle'r oeddan ni'n byw ers talwm, Mam a fi a Geth bach. Geth oedd – ydi – Geth ydi 'mrawd. Wel, hanner-brawd. Tadau gwahanol, te? Ond doedd dim ots am hynny o achos nad oedd yr un o'r ddau ohonon ni wedi gweld yr un o'r ddau ohonyn nhw erioed ac felly doedd dim ots, rywsut. Roeddan ni'n ddau frawd, yn ddau fab i Mam a dyna fo. Mi oedd o'n ddigon da i mi.

Dwi'n ei golli o. Geth. Hiraeth uffernol arna i. Wel, fi ddaru hanner ei fagu o, de? Ers pan oedd o'n fabi. A Mam yn... wel, yn methu gwneud... Eniwe, mi oeddwn i'n edrach ar ei ôl o, yn doeddwn? Mi oedd yn rhaid i rywun wneud, doedd? Fedrwn i mo'i adael o, na fedrwn, yn drewi ac yn sgrechian. Erbyn y diwedd, fi oedd yn gwneud bob tro. Newid ei glytia fo. Gwneud ei botel o. Fynta'n gwenu arna i o achos bod o'n fy nabod i, de? Weithiau, mi oeddwn i'n cael llond bol. Isio llonydd. Isio mynd allan. Jyst isio laff efo'r hogia, gêm o ffwti, potel o 'Pils'. Amser i fod yn fi fy hun. Finna'n meddwl: ogla cachu, ogla sic – pam dwi'n gorfod gneud hyn i'r sglyfath bach swnllyd 'ma? Nid y fi ydi'i fam o. A wedyn, ar ganol meddwl hynny i gyd, mi fydda Geth yn gwneud rhywbeth doniol – twrw babi'n trio siarad. Mi oedd o'n trio deud 'Bỳch' a finna'n sgwario, yn gwybod bod y babi'n meddwl 'mod i'n cŵl, yn fwy pwysig na Mam na neb. Achos bod o'n deud 'bỳch-bỳch' yn lle 'mama', de?

Mi fydda'r letrig yn mynd i ffwrdd o hyd o achos bod y mitar yn wag. Doedd Geth ddim yn lecio bod yn y tywyllwch. Mi fydda fo'n dechrau crio'r munud y byddai'r lamp bach yn diffodd a finna'n codi ac yn ei nôl o i 'ngwely fi. Fynta'n cysgu'n syth a finna'n gafael amdano fo'n gynnes i gyd. Weithiau mi oedd o'n gwlychu'r gwely ond doedd dim ots. O achos ei fod o'n gwmni. Mi oedd o fy isio fi. Mi oedd cysgu hefo Geth fel cael tedi bêr a oedd yn piso am fy mhen i ac yn cicio yn y nos.

Dydi Geth ddim yn fabi rŵan. Mi leciwn i ei weld o. Mae o bron yn bump oed bellach... Uffarn, mae hi'n boeth yn y stafell 'ma... Na, na – dwi'n ocê... lle mae'r...? Ia. Trwy'r drws, ail ar y chwith... diolch... byddaf, mi fydda i'n iawn dim ond cael tipyn o awyr iach...

Y 'Daily Post'

PRITCHARD – ARFON OWEN
(Ditectif Sarjant)
Medi 11, 1995.

Yn frawychus o sydyn trwy ddamwain yn 42 mlwydd oed. Priod annwyl Menna a thad gofalus Huw Arfon. Angladd cyhoeddus dydd Sadwrn, Medi 14 am ddau o'r gloch. Gwasanaeth yng Nghapel Libanus, Pentir-coch ac i ddilyn ym Mynwent Erw Wen. Blodau'r teulu yn unig. Ymholiadau i G.J. Griffiths a'i Feibion, Trefnwyr Angladdau, 2 Stryd Fawr, Pentir-coch.

'Pwy sy am tsips?' medda Dyf.

Ysgydwodd Bŷch ei ben. Doedd o ddim yn lecio bwyd. Nid ers iddo fo gael blas ar bethau mwy cyffrous. Doedd ogla halan a finegr ddim yn cymharu bellach â'r toddyddion y bu Bŷch yn poitsio hefo nhw.

Ddywedais i ddim byd; oeddwn, mi oeddwn i'n llwglyd. Ches i ddim cinio o achos bod Nain mewn helynt hefo'r hen ddyn fy nhaid y diwrnod hwnnw. Byth ers iddo fo gael y strôc mi fyddai o'n cael rhyw hyrddiau hulplyd gwirion, yn gweiddi isio doctor a dim byd yn bod arno fo. Ffrothio o gwmpas ei geg a ballu mewn tymer. Cadw o'i ffordd o fyddwn i bryd hynny nes byddai pethau'n tawelu. Nain oedd yr unig un oedd yn medru'i drin o pan fyddai o felly. Doedd fiw i mi fynd ar ei gyfyl o – nid 'mod i isio, beth bynnag. Ond mi wyddwn i'r rheswm yn iawn. Ei atgoffa fo o Mam oeddwn i, de? Ei atgoffa o'i ferch afradlon. Dyna'r adegau pryd fyddai Nain yn sbio arna i, a'i llygaid hi'n dweud: Dos, hogyn. G'leua hi o'ma am dipyn nes bydd hwn wedi dod at ei goed...

Arglwydd, mi oedd ogla da ar tsips Dyf. Ond fedrwn i ddim claddu boliad o tsips a ffish, na fedrwn, a Huwi hefo ni, a hwnnw ddim ond newydd golli'i dad. Fasa fo ddim yn edrach yn iawn, na fasa? Achos roedd Huwi hefo ni. Ei ben yn ei blu. Ei wyneb yn llwyd fel llinyn. Ond mi oedd o hefo ni. Hefo'r hogia. Hefo'i fêts unwaith eto. Doedd yna ddim byd mor wahanol â hynny ynddo fo, chwaith, dim ond ei fod o'n ddistawach nag arfer a golwg isio chwydu arno fo weithiau.

'Ty'd, Huwi. Cym' tsipsan, wir Dduw!' medda Dyf.

'Dwi ddim isio un,' medda Bŷch.

'Chynigiais i'r un i ti, naddo'r anorecsig uffar!' medda Dyf wrtho fo.

Ac mi wnaeth Huwi ryw sŵn fel trio chwerthin yng nghefn ei wddw.

'Dim ond genod sy'n cael anorecsia'r prat,' medda Bỳch yn fwyn a rhyw olwg heb fod yn llawn llathen arno fo. Mi oedd ei ddwylo fo'n crynu wrth iddo fo rowlio ffag iddo fo'i hun ac mi feddyliais i'n sydyn am Taid.

Stwffiodd Dyf y papur tsips o dan drwyn Huwi. Mae'n rhaid bod ogla'r finegr wedi cael effaith arno fo, o achos mi oedd o fel petai o wedi deffro drwyddo ac mi neidiodd i'r bwyd a dechrau sglaffio. Wedyn, yn sydyn, ar ganol cegiad, mi stopiodd fel petai rhywun newydd sticio cyllell yn ei gylla fo. Ac mi stopion ninna i gyd yn stond a bochau Bỳch yn llawn o fwg heb ei ollwng ac mi oedd o'n edrach yn uffernol o ddoniol felly, fel pry pric a'i ben o wedi chwyddo. Ond ddywedon ni ddim byd, yr un ohonon ni. Symudon ni ddim, nes i Huwi wasgu'r papur tsips at ei gilydd yn lloerig a'i luchio fo ar lawr ac wedyn mi neidiodd Dyf a gweiddi, yr un mor lloerig:

''Y nghinio fi 'di hwnna'r bastad!'

Ond mi oedd Huwi wedi'i heglu hi. Welson ni ddim ond lliw 'i din o'n diflannu rownd y gongol wrth Siop Tsips. Gollyngodd Bỳch y mwg o'i geg.

'Fy mlydi cinio fi,' medda Dyf wedyn ond yn

ddistawach, rywsut, ac mi blygodd a chodi'r tsips fel petai o ar hwyl achub rhywfaint o'r gweddillion seimllyd. Ond yn lle bwyta, mi stopiodd yntau 'run fath yn union ag y gwnaeth Huwi. A dyma ni yno, Bỳch a fi, yn llygaid i gyd, a sbecian dros ei ysgwydd o, rhag ofn bod 'na gocrotsian neu rywbeth yng nghanol y tsips.

'Shit,' medda Dyf.

'Be?' medda Bỳch.

'Be sy, Bỳch? Ti'n ddall hefyd, wyt?' medda Dyf wedyn.

O achos mi oedd o yno o'n blaenau ni mewn du a gwyn. Tudalen yr *'hatch, match and despatch'* wedi'i lapio'n ddel am y tsips. *Daily Post* yr wythnos cynt a ninna'n darllen y cyhoeddiad am dad Huwi fel pe na bai'r angladd wedi bod o gwbwl. Fel petai tad Huwi'n dal i oeri yn ei arch yng nghefn siop Griff Claddwr o hyd. Fel petaen ni wedi bod yn gwylio cnebrwn bwgan yn diflannu echdoe i waelod Allt Plas.

'Dy tsips di'n oer rŵan, Dyf,' medda Bỳch.

Sgin

Un peth oedd yn gwneud Bỳch a fi'n debyg i'n gilydd – welson ni erioed mo'n tadau, felly welson ni erioed mo'u colli nhw. Hynny ydi, petaen nhw'n marw, fasa fo ddim yn effeithio arnan ni, na fasa? Fasan ni ddim 'fath â Huwi, na fasan? Ond wedyn, doedd Huwi ddim wedi colli'i fam fel y collon ni'n mamau. Ddaru nhw ddim marw ond mi oedd hi'n teimlo felly. Weithiau. Mynd â Bỳch oddi ar ei fam ddaru nhw – fo a'i frawd bach. 'Smac-hed' oedd hi, de? Ond fiw i chi sôn. Iesu, tasach chi wedi dweud rhywbeth am ei fam o wrth Bỳch mi fasa'n rhoi peltan i chi. Un go iawn. Un y basach chi'n gwybod amdani. Fedrwn i erioed ddallt pam ei fod o'n cadw'i chefn hi bob amser. Fedrwn i byth wneud hynny. Cadw cefn Mam. Fedra i ddim hyd yn oed meddwl amdani fel 'Mam'. Linda oedd ei henw hi. Ydi'i henw hi. Lle bynnag mae hi bellach. Felly, fel Linda dwi wedi meddwl amdani erioed. Mynd ddaru honno. Mynd a 'ngadael i. Efallai mai dyna'r gwahaniaeth. Wn i ddim. Yr unig beth wn i ydi mai mamau-cachu-rwtsh oedd y ddwy.

Tua chwech oed oeddwn i pan heglodd Linda hi

hefo hogyn Huws Bildar. Dwi ddim yn cofio poeni rhyw lawer am y peth pan ddigwyddodd o. Mi oeddan ni i gyd yn byw hefo'n gilydd – fi, Linda, Nain a Taid. Hyd yn oed pan oedd hi adra, doedd hi ddim yno, os 'dach chi'n dallt be dwi'n feddwl. Nain oedd yn codi bob bore i roi brecwast yn fy mol i a hi fyddai'n llnau fy sgidia i ar nos Sul cyn i mi fynd i'r ysgol. Yr hyn dwi yn ei gofio, oherwydd ei fod o wedi 'mhoeni i ar y pryd, oedd 'mod i wedi gweld Nain yn crio am y tro cyntaf erioed ac mi oedd hynny'n beth od, yn gwneud i mi deimlo bod fy myd bach i mewn perygl, rhywsut.

Ond doeddwn i ddim mewn perygl, nag oeddwn? Ches i ddim cam. Mi ddaru Nain yn saff o hynny. Er bod acw uffar o le'r noson honno. Linda'n sgrechian, Nain yn crio. Taid yn traethu ac yn cega o'i gadair, yn gweiddi petha hyll fel: 'Sgin ti'm cywilydd, yr hwran fach fudur!' a 'Does na ddim croeso i ti yn tŷ 'ma byth eto, 'ngenath i!' Ac mi deimlais inna 'mhennaglinia'n gwegian wrth feddwl na fasa 'na ddim croeso i minnau chwaith. Nes i Nain estyn amdana i a 'ngwasgu fi'n dynn tra bod Linda'n pacio'i phetha'n swnllyd ac yn trampio'i thraed yn y llofft uwch ein pennau ni.

Mi eisteddodd Taid yn ei gadair a mynd yn ful. Rhoi'i ben yn ei blu a phwdu hefo pawb. Dwi ddim yn cofio gweld Taid yn gwneud fawr o ddim arall erioed, erbyn meddwl, heblaw am eistedd yn y gadair yn darllen y papur ac yn gweld bai ar bopeth. Wnaeth hi ddim lot fawr o wahaniaeth i neb pan gafodd o strôc achos nad oedd o byth yn symud i nunlle, beth bynnag. Ond gwella ddaru o, diolch i Dduw. Er mwyn Nain a fi. O achos mai ni oedd yn tendiad ar y diawl blin law a throed a fi oedd yn gorfod ei ddanfon o i'r lle chwech ac ati. Sglyfath o job. Faswn i byth yn gallu edrych ar ôl hen bobol drwy'r adeg. Eu molchi nhw a'u bwydo nhw a ballu. Ocê, dwi'n gweithio mewn cartref i'r henoed. Ond o gwmpas, de. Rhyw fath o 'handi–man', gwagio bins, newid washars, ffitio plygiau. A iawn, do, dwi'n cyfaddef, mi rois i lawr ar y ffurflen pan oeddwn i'n trio am y job 'mod i wedi cael profiad o edrych ar ôl yr henoed oherwydd strôc Taid. Ac mi helpodd hynny i mi gael gwaith yma. Ydi, mae hi'n joban braf, am wn i. Ysgafn. A'r oriau'n fyr. Mi ddois i yma'n syth o'r ysgol. Cnau mwnci o gyflog ydi o o hyd, er 'mod i yma ers dwy flynedd ond fiw i mi gwyno. Mae o'n dal yn well na'r sosial ac yn well na bod yn y lladd-dy lle mae Dyf. Maen nhw'n chwarae darts hefo'r cyllyll yn fanno a 'dach chi'n lwcus i fynd adra ar ddiwedd dydd hefo'ch dwy glust yn dal yn sownd wrth eich pen chi. Dyf oedd yn dweud. Seicos i gyd, y blydi lot ohonyn nhw, medda fo. Ond dyna fo, tebyg at ei debyg, de? Dwi'n well allan yn aros yn fan'ma. Dydw i ddim yn peryglu 'mywyd, o leia, ac mae yna ambell gildwrn i'w gael weithiau. Dwi'n cael mynd â lot o sbarion o'r gegin adra i Nain.

'Ew, reit dda'r hen hogyn,' medda hi, fwy nag unwaith. 'Mi wneith hyn swpar handi i ni heno 'ma. Maen nhw'n byw yn dda i fyny tua'r hôm 'na! Gobeithio bydd y bwyd cystal pan fydda i'n barod i hel fy mhac am y lle!'

Fedra i ddim dychmygu Nain mewn cartref. Mae hi'n rhy wydyn, rhywsut; yn ormod o wariar. Ac mi fedar regi 'fath â labrwr os bydd rhaid. Un fechan, fach ydi hi a'i gwallt yn gudynnau prysur o gwmpas ei hwyneb hi. Dwi erioed yn cofio iddi fynd am wash-an-set i'r lle gwallt fel neiniau pobol eraill. Neiniau blŵ-rins mewn dillad dydd Sul oedd y rheiny. Nain-bob-dydd oedd gen i, denau, ddi-ffrils ac yn smocio cymaint nes bod ei llais hi'n hel at ei gilydd yn belen yng nghefn ei gwddw hi fel rhywun yn gwasgu papur creision. Doedd yna byth fawr o'i hôl hi o gwmpas y tŷ ond mi fyddai hi yno bob amser, yn teyrnasu ar y blerwch cysurus trwy niwlen barhaus o fwg sigarét. Ac eto, doedd yna ddim byd yn ddiog o'i chwmpas hi. Âi allan i llnau ambell fore, ac weithiau fe gymerai gruglwyth o smwddio i'w wneud pan oedd pethau'n mynd yn fain arnon ni. Un flwyddyn, mi gafodd lond bag o gobenni'r Orsedd. Iesu, mi oeddan nhw fel dillad angylion yn hongian ar gefnau'r drysau, dwsinau ohonyn nhw. Ond mi smwddiodd Nain bob un yn siriol i gyfeiliant tâp o Hogia'r Wyddfa a chyda chymorth paced ugain o Silc Cyt piws, a'u hanfon yn eu holau'n barchus ag ogla mwg arnyn nhw.

'Dan ni wedi bod yn iawn, Nain a fi. O'r dechrau. A wedyn pan farwodd yr hen foi mi ddaeth pethau'n well iddi hithau. Mi oedd hi fel petai cwmwl wedi codi, er 'mod i'n gwybod na ddylwn i ddim meddwl y ffasiwn beth, heb sôn am ei ddweud o. Ond y gwir ydi nad oedd gen i'r un blewyn o hiraeth ar ôl yr hen sinach blin. Doedd o a fi erioed wedi tynnu 'mlaen er 'mod i'n gwneud fy ngorau iddo. Ond dyna fo, helpu Nain oeddwn i, de, wrth ei helpu fo. Iddi hi'r oeddwn i'n ei wneud o – ei wisgo fo, ei ddadwisgo fo, hanner ei gario fo i fyny ac i lawr y grisiau 'na. A fynta ddim ond yn swnian, pigo, gweld beiau. Ond mi wn i pam oedd hynny. Gweld Linda oedd o, de, bob tro'r oedd o'n sbio arna i. Gweld yr un gwallt melyn a'r llygaid mawr cyw-deryn a'r rheiny'n dal i edliw hen bethau cas iddo fo.

Dysgais yn sydyn mai'r unig ffordd i ddygymod â Taid oedd trwy anwybyddu'i sbeit o. Ac felly y bu pethau, a Nain yn gwneud ei gorau dros y ddau ohonon ni, yn rhoi aml i gildwrn yn fy llaw i'n ddistaw bach a'i 'Paid â deud wrtho Fo, rŵan, cofia!' wedi mynd yn jôc fach breifat, ddisgwyliedig rhyngon ni.

Mi fasai bywyd wedi medru bod yn well; mi oedd y rhan fwyaf o'r hogia'r oeddwn i'n eu nabod yn brafiach eu byd na fi, yn byw mewn tai crandiach, yn gwisgo dillad drutach tra 'mod i'n 'molchi bob amser wrth y sinc yn y gegin gefn am nad oedd gynnon ni ddŵr poeth i fyny yn y bathrwm. Tasai hi'n mynd i hynny doedd gynnon ni fawr o'r hyn fasech chi'n ei alw'n fathrwm chwaith. Basai, mi fasai wedi medru bod yn well, ond wedyn mi fasai wedi medru bod yn waeth hefyd. Mi faswn i wedi medru bod 'run fath â Bŷch, mewn gwahanol gartrefi maeth o hyd nes bod pawb yn cael llond bol arno fo yn eu tro. Mewn rhyw hen racsen o garafán mae Bŷch rŵan ac yn hapusach, am wn i, nag y buo fo erioed. Ddaru o erioed strôc o waith. Syth o'r ysgol i'r clinig bron. Fynta'n cael pres gan y wlad am ei fod o ar y 'sic'. Mi oedd o mewn 'rehab', yn doedd? Wel, i fod, beth bynnag. Gwario'i bres 'sic' ar fwg drwg. A gwaeth. O leia, mi ges i'r joban 'ma yn y cartref. Rwbath i'w wneud, dydi? Gwell na'r dôl. Ac mae Dyf – er mor wyllt ydi o – wedi cael gwaith yn y lladd-dy 'na am ryw hyd. Nes lladdith o rwbath heblaw oen a bustach wrth iddyn nhw chwarae'n wirion hefo'r cyllyll 'na.

Huwi oedd yr un hefo'r brêns. Wel, ohonon ni'n

pedwar, beth bynnag. Wedi dweud hynny, doedd dim angen bod yn Einstein i fod yn glyfrach na Bŷch a Dyf a fi hefo'n gilydd. Ond mi gafodd i mewn i'r Tec, yn do? Ac mi oedd hynny cystal â bod yn Einstein gynnon ni. Isio mynd i'r Armi oedd o, go iawn, ond mi fethodd y Medical, do? Arglwydd, mi gafodd o stic gan Dyf am hynny. Mêl ar fysedd yr hen Dyf oedd hynny, de? Huwi'r wariar, Huwi'r boi calad. Huwi ddim cweit yn clywed yn ddigon da hefo'i glust dde...

Doedd yna ddim byd arall amdani ond y Coleg Technegol. O achos mi oedd o wedi pasio tri neu bedwar o bynciau ac mi oedd ei fam o'n swnian: 'Gwna'n fawr o dy gyfla... meddylia am dy dad... mi fasa isio i ti ddysgu crefft... mynd yn dy flaen...'

Felly mi aeth Huwi, dim ond i gau'i cheg hi, am wn i. 'Paid â gwastraffu dy fywyd, Huw... paid â bod 'run fath â'r lleill sy o gwmpas y lle 'ma... 'A ni oedd y lleill. Bŷch a Dyf a finna. Ni oedd y wêstars eraill, de? Un felly oedd hi, Menna Pritchard. Meddwl ei bod hi'n well na phawb am fod ei gŵr hi'n gopar. Meddwl bod Huwi'n well na phawb... 'Meddylia di, Huw, be fasa dy dad yn ei ddeud...'

Mi ddechreuodd Huwi ar y cwrs yn y coleg yn syth ar ôl gwyliau'r haf a hithau'n fis Medi uffernol o boeth a Dyf a fi'n gwneud sbort am ei ben o am ein bod ni wedi gorffen hefo llyfrau ac astudio a ballu a Bỳch yn dweud dim am nad oedd o erioed yn cofio agor llyfr eniwe. Huwi'n brentis mecanic. Yn cael *day release* i fynd i weithio yn Pentir Motors. Yno fasa fo rŵan hefyd, debyg, oni bai am...

Oedd, mi oedd o'n un da hefo injans. Dysgu'n sydyn. Wil Pentir yn meddwl y byd ohono fo. Ia, Huwi oedd y brêns. Bỳch oedd y jynci, a Dyf oedd y seico. A fi – wel, jyst fi oeddwn i, de? Ond Huwi. Mi oedd Huwi'n gallach. I fod. Rhyfedd. Rhyfedd o fyd. Uffar o fyd. Huwi hefo'r brêns, Huwi'n fab i gopar. A Huwi, o bawb, oedd yr un a aeth i'r jêl...

A heddiw, mae'r tri ohonon ni – Dyf, Bỳch, fi – yn dal i wneud yr un pethau. Neu ddim, yn achos Bỳch. Yn dal i fod yn yr un llefydd. Dyf yn y lladd-dy lloerig 'na, finna yn y cartref, a Bỳch – wel, ma' Bỳch ar ei din yn y garafán fudur 'na a'i ben o'n fflïo. Gwyn ydi byd Bỳch. Ond Huwi. Dydi Huwi ddim yn unlle, nac di? Dianc ddaru o, de? Wel, rhyw fath o ddianc. Ei heglu hi allan ohoni go iawn. Ond am uffar o ffordd i fynd. Hyd yn oed o jêl...

Llys y Goron (Mehefin '95)

Poeth. Uffernol o boeth. Chwys ar dalcen. Ar wegil. Gwingo yn erbyn coler a thei. Dwylo gludiog, tinau trowsusau'n sgleinio...

'Mae'r Goron yn galw Ditectif-Sarjant Arfon Pritchard.'

Saib. Pasio'r llyfr. Y Beibl bach du... Rhoi llaw arno, tyngu'r llw... Tystiaf i Dduw hollalluog... y gwir... a dim ond y gwir...

'Ai chi yw Ditectif-Sarjant Arfon Owen Pritchard...?'

Ia. Fi ydi hwnnw. Arfon Pritchard, D.S. Pritchard, *plain clothes*, yn dweud wrthyn nhw mai dyma'r gwir. Yn dweud wrthyn nhw am fy nghredu i ac yn gwybod mai dyna a wnân nhw – o achos nad oes ganddyn nhw ddim dewis, nag oes? Gair Ditectif-Sarjant ynteu gair rhyw rafin meddw fel Mickey Quinn...

'Ia, Syr... do, Syr. Ydw, Syr. Yn berffaith siŵr. Fo oedd o. Y diffynnydd, Michael Quinn...'

Y barnwr yn crynhoi. Coch. Piws. Du. Lliwiau awdurdod. Lliwiau'r llais yn y wig-cyrls-tynn wrth iddo dynnu'r sbectol fain. Coch. Piws. Du. Lliwiau sgrechfeydd.

'...ac felly rwy'n eich dedfrydu chi, Michael Tyrone Quinn, i wyth mlynedd o garchar... Ewch â fo i lawr...'

Nice one, Arfon. Mi wnest ti job dda. Do, job dda. Ma'r bastad Quinn 'na wedi bod yn gofyn amdani ers talwm...

Dyf

'Be?' medda fi. Achos bod y peth mor anodd i'w gredu. Fel rhywbeth mewn ffilm cops. Achos bod Bỳch wedi mynd i falu cachu lot ers iddo fo fynd i afael y smac go iawn. Siaradodd o erioed lawer o synnwyr ond rŵan...

'Ffaith i ti,' medda Bỳch. Sgrytiodd ei ysgwyddau'n sydyn fel petai ias yn ei gerdded, fel petai o'n crynu hefo'r hen oerni hwnnw nad oedd o'n oerni o gwbwl. 'Y cwbwl yn "set-yp job".'

'Sut gwyddost ti?'

'Jyst gwrando arnyn nhw'n siarad. Larri Fawr a'i fêts. Pan es i i fyny i'r fflat i nôl stwff...'

'Nôl stwff? Iesu, Bỳch! Mi on i'n meddwl dy fod di'n cadw'n lân...'

'Mi oedd y drws yn agored, doedd?' Osgoi 'ngwestiwn i wnaeth o, edrych yn bell dros f'ysgwydd i rywle. 'Tu allan ôn i. Ar y grisia, de? Mi fedrwn i eu clywed nhw'n siarad. Siarad yn uchel hefyd. Poeni dim am neb yn clywed. Ar y caniau, doeddan? Ac ogla "spliffs" yn cyrraedd top y landin...'

Ac mi rowliodd Bỳch ei ffroenau a'u pantio'n

35

sydyn fel petai o'n gwningen. Fel petai o'n dal i arogli'r ganja ac yn trio meddwi ar yr atgof.

'Ia?'

'Ia, be?'

'Wel, be' wedyn?' medda fi. 'Be ddeudon nhw?'

'Am be, 'lly?'

'Uffarn dân, Bỳch! Am dad Huwi, de? Be ddeudon nhw?'

Daeth Bỳch allan o'i gryndod wrth gael ei gof yn ôl.

'Tad Huwi'n *bent*.'

'E?'

'*Bent copper*. Cymryd breibs a ballu, de?'

'Blydi hel!'

'A bod o wedi rhoi lot o bobol yn jêl.'

'Copar oedd o, Bỳch! Dyna oedd ei waith o, de?'

'Ia, ond mi oedd o'n gneud lot o elynion, doedd, Dyf? Y? Fasa fo ddim ar dy restr cardia Dolig di, na fasa, tasa fo wedi rhoi dy frawd, neu dy fab, neu dy dad yn jêl?'

'Neu dy nain, am sefyll dan ola coch yn nos!'

'Callia, Dyf. Dwi'n deud y gwir. Mi oedd 'na lot o bobol fasa wedi lecio cael dial ar Ditectif-Sarjant Arfon Pritchard.'

'Oedd, ma' siŵr, ond...'

'Ac mi ddaethon nhw o hyd iddo fo yn y diwadd hefyd, do?'

'Be?'

'Pwy bynnag oedd am 'i waed o.'

'Be ti'n feddwl?'

Mi oedd Bỳch yn hir cyn ateb, yn rowlio smôc iddo fo'i hun. Fedrwn i ddim peidio sylwi ar ei ddwylo fo. Ei 'winadd o. Creadur diawl. Mi oedd o wedi cnoi bob un i'r byw, pob ewin yn fychan bach ac yn edrych fel petai'r cnawd yn cau amdano fo, pob un fel hanner-lleuad ag olion dannedd ynddi, yn fudur-binc fel hen blastars. A wedyn mi gofiais i nad oedd o wedi ateb fy nghwestiwn i.

'Be ti'n feddwl: "dod o hyd iddo fo yn y diwadd"?'

'Tad Huwi,' medda Bỳch. Fel petawn i'n ddwl. Fel petai 'mrên inna fel malwen mewn jar. 'Y ddamwain, de? Pan gafodd Pritch ei ladd. Nid damwain oedd hi.'

Cofiais y penawdau. Y papurau lleol i gyd. Mi fu ar y teledu, hyd yn oed. Rhyw hanner-munud o gyhoeddiad ar newyddion chwech. Damwain car angheuol. Aelod o heddlu'r Gogledd. Tro drwg yn y lôn. Y car ar waelod dibyn. Torrwyd y corff o'r llanast – mi oedd yn rhaid iddyn nhw adael ei goesau ar ôl...

Peth rhyfedd ydi dechrau cofio. Mae o'n gwneud i chi gofio mwy, gwneud i bethau ddod yn eu holau, un ar ôl y llall. Lliwiau. Siapiau. Synau. Blas drwg ar geg. 'Run fath â phryd bwyd sydd wedi bod yn pwyso arnoch chi. Chitha yno'n chwydu'ch perfadd ac yn meddwl basai marw'n haws o lawer, ond fedrwch chi ddim o achos bod eich corff chi'n gwneud pethau ohono'i hun heb i chi ofyn iddo fo, yn dod â'r cyfan yn ôl, ac mae o i gyd yno, o flaen eich llygaid chi, lle na fedrwch chi ddim peidio'i weld o. Peth felly ydi cofio. A phan ddywedodd Bỳch yr hyn ddywedodd o, doedd gen i ddim dewis, nag oedd? Dim ond sbio'n wirion ar y lluniau'n dod yn eu holau i 'mhen i. Cnebrwn tad Huwi. Yr hers. Y crio. Sgin a Bỳch a fi. A Huwi a'i fam yn pasio yn y car a lliw pobol-newydd-fod-yn-chwydu arnyn nhwtha hefyd. Cofio fel tasai hi'n ddoe. Er bod tair blynedd wedi bod. Ond rŵan mi oedd y cwbwl yn dod yn ôl. I bawb. I ni. I sgwrs Larri Fawr. I Bỳch a Sgin a fi. A Huwi. O achos bod hyn rŵan wedi digwydd i Huwi. O achos bod Huwi yn Lerpwl. O achos mai Huwi, ac nid y fi, oedd yr un gafodd y fraint y noson honno o dynnu nicyrs Kelly Quinn.

Saunders

Rôn i'n meddwl bod yr eglwys yn wag, ac yna fe'i gwelais. Deirdre Quinn. A na, wnes i mo'i gweld hi chwaith, pe bawn i'n gwbwl onest. Ei synhwyro hi wnes i, teimlo'i hanadl hi ymysg y cysgodion. Roedd hi'n nerfus, aflonydd, rhyw wiwer fach o ddynes. Oedai'n ansicr ymysg y seddau fel petai arni fy ofn i. Roedd hynny'n fy ngwneud i'n flin, yn ansicr o fy ngallu fy hun. Offeiriad oeddwn i rŵan. Offeiriad go iawn. Ac roedd hi'n tanseilio popeth yr oeddwn i'n sefyll drosto wrth ymddwyn fel petawn i'n rhyw fath o fwgan.

'Lle ma' *Father* Manahan?' meddai.

'Sâl,' medda finna a chywilyddio'n syth am fod yn swta. 'Oes yna rywbeth fedra i ei wneud?'

Edrychodd arna i'n hir, yn meddwl 'mod i'n ifanc. Yn rhy ifanc i ddelio â'i phroblemau hi. A doedd rheiny ddim yn gyfrinach bellach, meddyliais.

'*Father* Manahan fydd yn gwrando arna i,' meddai. 'Pryd fydd o'n ôl?'

'Efallai na fydd o ddim,' atebais. Ceisiais beidio â swnio'n galed. Y gwir oedd o. Roedd trawiad calon *Father* Manahan wedi'i adael yn fregus iawn ac yntau'n oedrannus. Hen greadur annwyl oedd o, rhy annwyl weithiau. Ac eto, roedd o'n uchel ei barch gan y bobol fwyaf annisgwyl. Pobol fel y Quinns.

Gwyddel lloerig oedd Frankie Quinn. Mi oedd o'n gwneud bywoliaeth ryfeddol o hel sgrap a tharmacio dreifs i bobol. Dynes fach dawel, fewnblyg oedd ei wraig o, Deirdre, a chanddi lygaid ofnus. Bu'n hogan dlws yn ei dydd, roedd hynny'n amlwg – esgyrn bychain; gwallt tonnog 'dat ei hysgwyddau a fu'n dywyll unwaith. Ganddi hi yr oedd y merched yn cael eu harddwch. Roedd yna dair ohonyn nhw – Siobhan, Kelly a Roisin. Enwau Gwyddelig oedd ganddyn nhw i gyd ond roedden nhw'n Gymry glân, gloyw, wedi eu magu yma erioed. Rhyw Gymro-bron-â-bod oedd Frankie. Siaradai Gymraeg o hyd, chwarae teg iddo, ond gydag acen Wyddelig dlos yn meinio'i lafariaid o i gyd. Roedd ganddo dymer wyllt, cochach na'i wallt, ond yn fwy o dwrw nag o daro medden nhw. Yn gleniach peth o'r hanner na'r mab byrbwyll hwnnw oedd ganddo fo.

Cododd Mrs Quinn ei llygaid yn sydyn, fel petai hi wedi sylweddoli bod ein meddyliau ni wedi cyrraedd yr un lle ar yr un pryd.

'Glywsoch chi be ddigwyddodd i Michael ni, debyg?' meddai.

Fedrwn i ddim gwadu hynny, na fedrwn? Roedd o'n newyddion mawr yn yr ardal.

'Wyth mlynedd,' meddai hi wedyn. 'A doedd neb yn ei gredu o, hyd yn oed ei dwrna fo'i hun.'

Roedd ei gwefus hi'n dynn, yn llinell galed. Yn ei llais hi'r oedd y cryndod a oedd yn ei bradychu hi go iawn. Mi oedd gen i gymaint o bechod drosti.

'Mi fedrwch chi fynd â'r achos i lys apêl, Mrs Quinn,' medda fi.

Edrychodd arna i'n hurt, fel petawn i newydd awgrymu y dylai hi bicio am benwythnos i'r lleuad.

'Mi faswn i'n falch iawn pe baech chi'n gweddïo drosto fo,' meddai. 'Dydw i ddim yn ddigon ar fy mhen fy hun, wyddoch chi.'

Er mai fi oedd yr offeiriad, rhyfeddais at gryfder ei ffydd hi.

'Dyna'r peth lleiaf y medra i'i wneud,' medda fi wrthi.

Gwenodd hithau mor sydyn nes peri i mi amau ei bod hi wedi gwenu o gwbwl.

'Mae o'n dal i ddweud ei fod o'n ddieuog – hyd yn oed rŵan...'

Roedd rhywbeth mor drasig yn y geiriau hynny. Mor derfynol. Iddi hi ac i'w mab. Roedd ei hwyneb hi'n llwyd hefo poen pan wasgodd hi'r geiriau nesaf dros ei gwefus:

'Lladd dyn, *Father*. Cymryd bywyd rhywun

41

arall. Mae o'n... mae o jyst... wel, yn rhywbeth rhy fawr, rhy ofnadwy i feddwl amdano! Dynladdiad. Dyna ddywedon nhw. Dynladdiad. Lladd dyn. Michael yn cwffio, yn dyrnu dyn arall... doedd hynny ddim yn newydd, yn ddim syndod. Un fel'na fuo fo ers dyddiau ysgol – llygaid duon, cleisiau. Mae trwbwl yn dilyn Michael, rywsut. A dydi'r dymer wyllt wirion 'na sy gynno fo'n ddim help... Mae o wedi bod i mewn o'r blaen, mi wn i hynny. Am gwffio oedd hynny hefyd. Achosi niwed corfforol oedd hi'r adeg honno. Mi wn i nad ydi o'n angel! Ond mi dalodd y pris am hynny. Am fod yn rhy barod hefo'i ddyrnau. Mi ddysgodd ei wers. Fasa fo ddim yn gwneud... dim eto... Dduw Mawr, *Father*! Fi ydi'i fam o! Nid fo ddaru...!'

Ia, hi oedd ei fam o. Ai dyna pam yr oedd hi'n ei gorfodi'i hun i'w gredu o? Credu'i fod o'n ddieuog am na allai hi stumogi'r gwir, am na allai hi ddeall sut y gallai'r plentyn bach y bu hi'n ei fagu ar ei glin fod wedi lladd dyn arall hefo'i ddyrnau. Ac eto, onid oedd greddf mam yn nes ati na'r gwir yn aml iawn? Yn anffaeledig weithiau? Yn ddibynadwy? Yn fwy dibynadwy hyd yn oed na thystiolaeth mewn llys barn? Tybed? A oedd greddf Deirdre Quinn cyn gryfed â hynny? Roedd hi wedi siarad gydag arddeliad, fel pe bai hi'n dyfynnu o'r Beibl ei hun.

Mi wyddwn i am Mickey Quinn. Ac nid yn unig

oherwydd 'mod i wedi gwrando ar bobol yn bwrw'u boliau wrtha i tu allan i'r gell a minnau'n ceisio 'ngorau glas i beidio trio dyfalu pwy oedden nhw. O achos mi fyddai enw Mickey Quinn yn cael ei grybwyll mewn ambell gyffes. Na, nid oherwydd hynny. Gwyddai'r ardal gyfan am ei anturiaethau meddw a'i ymddygiad afresymol, byrbwyll a doedd hi'n fawr o syndod i neb pan gyhoeddwyd y ddedfryd. Dynladdiad. Wyth mlynedd o garchar. O, do, bu sawl ochenaid o ryddhad pan glywyd na fyddai'r horwth Quinn 'na o gwmpas y lle am wyth mlynedd. Llabwst. Cythraul. Meddwyn. Roedd 'na lot o enwau a weddai'n well iddo na Mickey. Enw ll'godan oedd Mickey. Enw diniwed, yn gwneud i chi feddwl am blant, a chwerthin, a llond bol o hwyl. Na, doedd 'na ddim byd yn ddiniwed yn Mickey Quinn.

'Mi fydd o'n dri deg pedwar pan ddaw o allan,' meddai Deirdre Quinn. Roedd pechod ei mab ei hun yn llinellau llwyd o dan esgyrn ei bochau hi. 'Maddeuwch i mi'n gofyn hyn, ond faint ydi'ch oed chi, *Father... Father...*?'

'Saunders,' atebais. '*Father* Saunders. Siôn Saunders. Chwech ar hugain oed. Ac mae croeso i chi 'ngalw fi'n Siôn...'

Edrychodd arna i wedyn, yn sydyn a llym, fel petai hi newydd fy nghlywed i'n rhegi.

'Na, diolch i chi, *Father*, ond fyddai hynny ddim

yn iawn. Er eich bod chi'r un oed yn union â Michael ni...' Cododd yn sydyn a throi ar ei sawdl. 'Dwi'n ddiolchgar iawn i chi am addo dweud gair drosto fo, *Father* Saunders.'

Roedd hi wedi bod mor ddiffuant a finna wedi teimlo drosti. Ac eto, pan aeth Deirdre Quinn fe adawodd ias oer ar ei hôl, rhywbeth na allwn i mo'i egluro. Teimlais yn euog fy hun, rywsut, dim ond am fy mod i'r un oed â Mickey. Pan sylweddolais yn sydyn y byddai gweddïo am ei enaid o yn un o'r pethau anoddaf i mi orfod ei wneud erioed daeth yr ias i orffwys ar fy ngwegil cyn cropian yn rhynllyd ar hyd asgwrn fy nghefn.

Roedd hi fel petawn i'n cael fy nghofleidio gan ysbryd.

Kelly Quinn

Dwi'n gwybod 'mod i'n bishyn, yn troi pennau. Mi ddois i ddallt hynny'n fuan iawn. Dallt 'mod i'n gallu cael yr hyn yr oeddwn i ei isio gan ddyn dim ond i mi wneud ll'gada mawr arno fo. Pres gan Dad, sylw gan ambell i athro, swsus gan gariadon. A mwy. Ers pan oeddwn i'n ferch fach yn llaw Mam mae pobol wedi dotio ata i, wedi f'addoli i oherwydd 'mod i'n dlws. Ac mi oedd yn rhaid i mi wneud yn fawr ohono fo tra medrwn i, yn doedd? Wedi'r cwbwl, dydi'r hyn sy gen i yn fy mhen ddim am fynd â fi'n bell iawn. A fu gen i erioed fawr o ddiddordeb mewn llyfrau a ballu. Ambell i fagasîn yn ocê, de – ma' rhywun yn dysgu lot o edrych ar dudalennau problemau ac ati. Ond nofelau a llyfrau-sgwennu-bach a ballu – no-we! Pethau ar gyfer swots a sados ydi'r rheiny, pobol sy'n cael sbots am eu bod nhw'n ista yn eu stafelloedd yn stydio yn lle mynd allan i gael awyr iach. Iesu, *get-a-life*, de? Dyna dwi'n ei ddweud. Ac eniwe, ma' gormod o ddarllen yn difetha ll'gada pobol.

Pan ddechreuais i gael marciau fel deg allan o gant mewn arholiadau mi oedd hi'n hen bryd i mi fod yn realistig, doedd? Daeth triwantio'n fwy o hwyl na Thechnoleg a fflyrtio'n fwy o sialens na Ffrangeg. A hogia? Wel, mi ddaeth hogia' yn rhyw fath o hobi. Mi oedd cael hwyl arnyn nhw'n 'hwyl'. Mi oeddwn i'n gwybod sut i'w gwirioni nhw. Ac yn cael pleser o'u gweld nhw'n cochi – ac yn crynu wedyn wrth iddyn nhw gyffwrdd ynof i. A phan oedden nhw'n dechrau dod i ddeall, i 'neall i, yn dechrau gwybod sut i 'mhlesio i, mi fyddai'r iasau bach yn dod, eto ac eto, drwy 'nghorff i gyd...

'Cymer rhain,' meddai Siobhan. Doedd hi ddim yn beirniadu, ddim yn gweld bai. Nid Mam oedd hi, naci, a diolch i Dduw am hynny. Mi fasai honno wedi gwneud ei nyt tasai hi'n gwybod. Sôn am weld Iwerddon go iawn!

Welais i erioed mo'r Bilsen tan y diwrnod hwnnw. Peth fechan fach, mewn stribedi – un ar gyfer pob diwrnod o'r wythnos. Dydd Llun, dydd Mawrth, dydd Mercher... Rhag i chi anghofio cymryd un, de? 'Run fath yn union â thabledi cricmala Nain. Dydd Iau, dydd Gwener, dydd Sadwrn. Nos Sadwrn. Bar y 'White Dragon'. Clwb nos 'Mad Max'. Hwyl. A hogia. Nos Sadwrn a finna'n saff. Saff o gael bachiad o achos 'mod i'n edrych fel dwi'n edrych, ac yn saff o beidio cael babi o achos 'mod i'n rhannu Pilsen Siobhan.

Hi oedd yn mynd at y doctor i'w cael nhw, wrth gwrs, nid y fi. Roedd hi'n hŷn, yn briod, a neb yn holi. Ond mi fasai rhywun yn siŵr o fod wedi fy ngweld i'n eistedd yn y syrjeri'n disgwyl fy nhro a golwg holliach arna i. Yn rhoi dau a dau... naci, sori, yn rhoi un ac un hefo'i gilydd ac yn gwneud dau wrthi'n cael 'hanci-panci'! Wedyn mi fasai'n rhaid cael dweud wrth Mam, yn sbeitlyd, fusneslyd ac yn fêl i gyd 'run pryd: 'Kelly chi'n well rŵan, Mrs Quinn? Dim ond digwydd taro arni yn lle doctor y diwrnod o'r blaen... dim byd mawr, gobeithio...?' Fel'na mae'r 'jyngl dryms' yn gweithio, de, a doeddwn i ddim am roi'r cyfle iddyn nhw. Felly mi edrychodd Siobhan ar f'ôl i fel chwaer fawr gydwybodol ac mi weithiodd pethau'n iawn, dim ond i mi dalu'n ôl iddi drwy warchod y plant am ddim rŵan ac yn y man.

'Yr un pethau maen nhw'n eu rhoi i bawb,' meddai Siobhan yn wybodus, 'dim ond i ti beidio ag anghofio cymryd un, dyna i gyd. Dim iws i ti weld bai arna i wedyn!'

Mi fyddai hi'n tynnu stribedi allan o'r bocs i mi a finna'n eu cuddio nhw'n ofalus yn fy mocs colur rhag i Roisin gael gafael arnyn nhw, o dan y bocsys bach o baent-llygaid a'r nialwch i gyd. Llyncu un bob nos wrth llnau 'nannedd. Hawdd. Fel y dywedodd Siobhan. Hawdd a saff. Ac mae isio bod yn saff, yn does? Yn enwedig pan fo gynnoch chi wyneb *drop-dead gorgeous* a thin a bronna fel sy gin i. Dwi wedi bod yn lwcus. A doeddwn inna ddim am wastraffu'r hyn gefais i, nag oeddwn? Anniolchgar fasai hynny, de? Ac eniwe, mi ôn i'n cael laff. Yn cael sylw. Yn joio. Mi ôn i'n gryfach na nhw, y bechgyn i gyd. O achos mai fi oedd yn rheoli. Roedd fy harddwch i'n rhoi pŵer i mi dros bob un ohonyn nhw. Mi ôn i'n cael *buzz* o'r peth, o fod mor bwerus.

Wnes i ddim sylweddoli pa mor beryglus fasai'r pŵer hwnnw'n gallu bod. Pa mor ysol. Pa mor ddinistriol. Naddo, sylweddolais i ddim, nes ei bod hi'n rhy hwyr. Yn rhy hwyr o lawer. Yn rhy hwyr i neb yn unlle allu gwneud dim i droi'r cloc yn ôl.

Bỳch

Blydi snobs, yn doeddan? Doeddan nhw mo f'isio i, siŵr Dduw. 'Dw-gwdars' diawl. Jyst isio pluen yn eu het eu hunain, de? Eu gweld eu hunain yn gwneud eu rhan i'r gymdeithas, cymryd plant drygis 'fath â fi i fyw efo nhw am dipyn er mwyn cael y clod wedyn am ein troi ni'n ddinasyddion gwell. Ia, doeddach chi ddim yn gwybod 'mod i'n gwybod geiria mawr fel'na, nag oeddach? Dinasyddion. Mae'n rhaid 'mod i wedi dysgu rhai pethau heb i mi sylweddoli hynny fy hun tra bûm i'n cael lojins efo'r teulu Wilias. Dinasyddion. Rhywbeth glywais i ar eu teledu Cymraeg nhw, mae'n siŵr, a digwydd gofyn mewn munud wan be oedd y gair yn ei feddwl. Ac mi oeddan nhw wrth eu boddau pan oeddwn i'n gwneud hynny. Yn dangos 'mod i isio gwybod be oedd geiria'n feddwl. Gweld eu dylanwad oeddan nhw debyg. Gweld eu bod nhw'n gwneud job dda o 'nhroi fi'n foi bach gwerth fy halen, 'run fath â nhwtha. Y bobol neis – lawnt fach dwt, capel ar y Sul a'r hogia'n gwneud eu hômwyrc fel pansis bach da cyn cael rasions o deledu safonol a gwely cynnar.

Dwi'n cofio'r noson gyntaf dreuliais i yn eu tŷ

nhw fel tasai hi'n ddoe. Rhyfedd, de? Achos dwi ddim yn cofio ddoe. Dyna'r tro cyntaf i mi gael llofft i mi fy hun. Pob dim yn lân. Roedd hi'n amlwg ei bod hi wedi llnau'n sbesial fel petai hi'n cynnig lojin i'r Arch-be-dach-chi'n-alw-fo'i hun. O achos mi oeddan nhw'n bobol 'Steddfod hefyd. Pobol carafans a sticyrs Cymru-Am-Byth. Mr Urdd a bara brown a stwff tu mewn i'r pan yn y lle-chwech yn gwneud i'r dŵr fflysio'n las a drewi'n neis. Galwch fi'n Elinor. Dyna ddywedodd hi. Mrs Williams yn rhy – o, be ddywedodd hi? Un o'r geiria 'ff' 'na. Ffurfiol. Ia. Ffurfiol. Hwnna oedd o. Mae Mrs Williams yn swnio'n rhy ffurfiol, Arwel.

'Bỳch,' medda finna.

'Sut?'

'Bỳch di'n enw fi... wel, dyna ma' pawb yn 'y ngalw fi. Bỳch am Bychan, de...?'

Mi oedd hi i fod i wenu pan ddywedais i hynny. Dyna fyddai pawb yn ei wneud fel arfer. Hyd yn oed yr athrawon yn yr ysgol, ac mi oedd yna rai digon di-wên ymysg y rheiny. S'mai, Bỳch? Hwyr bora 'ma, Bỳch. Bỳch, cau dy geg a bihafia! Lle ma' dy waith cartra di heddiw, Bỳch...?

Ond ddaru Elinor ddim gwenu.

'Pethau hyll ydi blas-enwau, Arwel.'

A dyna fo. Doedd yna ddim trafod pellach i fod. Rhyw ffordd felly oedd ganddi o siarad hefo fi, mewn llais 'fi-ŵyr-ora a dwyt-ti'n-neb-ond-brych-bach-digywilydd'. Nid felly oedd hi'n siarad hefo'i phlant ei hun. Mi oedd yna luniau o'r rheiny ar hyd y tŷ ym mhob man. Plant Elinor ac Islwyn. Mewn dillad ysgol. Rhai glân. Ar lan y môr. Yn y Steddfod. Eu lluniau nhw hefo'u rhieni. Hefo'i gilydd. Ar wahân. Plant glân. Yn fabis. Yn cropian. Yn cerdded. Y ddau frawd penfelyn angylaidd, bôring oedd yn cofio glanhau'u dannedd bob nos. Ond mi oedd y lluniau ohonyn nhw'n fabis yn gwneud i mi gofio petha, yn doeddan? Yn gwneud i mi feddwl am Geth. Geth, fy mrawd bach i. Geth bach, annwyl, cynnes oedd yn piso yn fy ngwely fi...

A dyma fi'n deffro'n sydyn, ganol nos, yn y gwely glân diarth 'ma a meddwl yn syth bin 'mod i adra'n ôl yn y gwely hefo Geth o achos fy mod i'n gorwedd ar y patsh gwlyb, cynnes 'ma. O, na, dim eto, Gethin! medda fi wrthyf fy hun o achos 'mod i'n meddwl bod pob dim 'run fath ag arfer. A wedyn mi gofiais i. Nad oedd pethau ddim 'run fath, nag oedden? 'Mond fi oedd yno, de? Shit, medda fi wedyn a mynd yn chwys doman ac yn gryndod oer ar ei ôl o. Fi oedd wedi gwneud. Fi oedd wedi gwlychu'r gwely fel taswn i'n fabi a wyddwn i ddim be i'w wneud. Fedrwn i ddim mo'i adael o neu mi fasai Elinor yn siŵr Dduw o wybod beth oedd wedi digwydd. Mi oeddwn i'n gwybod

51

yn iawn am yr ogla stêl fasai'n dŵad ar y gwely, ar
y stafell i gyd pe bawn i ddim ond yn gadael iddo
fo sychu a dweud dim byd. Mi oedd hi'n hwyr.
Ganol nos neu ben bora a finna'n oer, yn crynu fel
lleidar dibrofiad. Mi oeddwn i isio smôc ond
doedd gen i'r un. Y gweithiwr cymdeithasol wedi
gwneud i mi wagio 'mhocedi i gyd cyn dod allan
o'r car, doedd? Isio smôc, isio c'nesu, isio Geth.
Geth bach a'i groen babi a'i eiria bach rwtsh. A
dyma fi'n eistedd ar ganol y llawr a chrio 'fath â
taswn inna'n fabi. Crio a chrio nes bod y drwg yn
dod allan. Ddaru o ddim dod o'na, chwaith ond mi
oeddwn i'n teimlo'n well ar ôl gwagio'r dagrau o
'ngwddw.

Mi fues i'n eistedd yno mor hir, a chwilt y gwely
dros f'ysgwyddau fel dyn mewn cell, nes 'mod i
wedi mynd i gysgu, mae'n rhaid, o achos pan
agorais i fy llygaid mi oedd hi'n olau i gyd a sŵn
dŵr yn rhedeg a lleisiau yn bell yn rhywle yn y tŷ.
Mi oedd gen i gymaint o gric yn fy ngwddw
fedrwn i ddim symud bron, a wedyn mi gofiais i
pam 'mod i yno, ar ganol y llawr, a bochau 'nhin i
wedi mynd yn sgwâr.

Roedd 'na staen melyn mawr ar y gynfas wen,
staen â'i siâp o bron yn ddel, fel map o Sir Fôn
hefo cynffon. Ond er ei fod o mor berffaith fel y
baswn i wedi cael deg allan o ddeg amdano fo yn
y dosbarth Arlunio tasai Arti Ffarti wedi'i weld o,

fedrwn i mo'i adael o i suro y tro hwn. Felly doedd gen i ddim dewis, nag oedd, dim ond rhwygo'r gynfas oddi ar y fatres cyn i Elinor weld y llanast. Mi oedd gen i gan o ddiod hanner-llawn ar y bwrdd bach wrth ymyl y gwely. Wrth i mi frysio dyma fi'n baglu yn erbyn y bwrdd. Mi drodd y coca-cola wedyn, do, dros y gynfas i gyd, a hwnnw'n fybls ac yn diferu'n felynfrown fel afon fach o chwd tenau. Ac ar hynny, dyma Elinor a'i phen rownd y drws. Dyma finna'n fferru yn y fan a'r lle fel cwningen wedi'i lampio.

'Blydi hel!' medda fi. Neu efallai 'mod i wedi dweud rhywbeth gwaeth o achos dwi'n ei chofio hi'n gwneud gwynab fel tin ac yn dweud:

'Arwel! Araith! Twt lol. Wneith siarad fel'na mo'r tro!'

Ond, Iesu, mi oeddwn i yn fy nhrôns, yn doeddwn?

'Chlywais i monoch chi'n curo'r drws,' medda fi'n trio bod yn sarcastig 'run fath â'r titsiars yn 'rysgol ond ddaru hi ddim ond edrych arna i hefo wyneb-prifathrawes a dweud:

'Wrth gwrs 'mod i wedi curo, Arwel, ond roeddech chi'n rhy brysur, mae'n debyg, yn tynnu lle blêr yn y llofft 'ma.'

Ac wedyn mi welodd hi'r tun côc ar y llawr.

'Arwel, triwch fod yn fwy gofalus, wir. Dim bwyd a diod yn y llofftydd 'ma! Dydw i ddim yn caniatáu i neb gario pethau felly drwy'r tŷ, hyd yn oed Osian a Rhydian!' Nac Islwyn 'Tynn-dy-sgidia-wrth-ddrws-y-cefn-cariad' chwaith, meddyliais yn chwerw. Cododd Elinor y can côc gwag rhwng ei bys a'i bawd a throi'i thrwyn. Roeddwn i'n teimlo fel dweud: Diolchwch, Misus, mai coca-cola oedd gen i yn y llofft 'ma, ac nid cocên! Ond wnes i ddim. Gofyn am helynt fasai hynny. Ac eniwe, mi oedd gen inna le i ddiolch i'r coca-cola, doedd? Ogla hwnnw oedd hi'n ei glywed yn lle ogla piso. Felly doedd 'na ddim cywilydd i fod rŵan, nag oedd? Fasai hi na'r gŵr pwfflyd 'na oedd ganddi hi a'r plant gwdi-gwdi pathetig 'na ddim yn dod i wybod 'mod i wedi gwlychu gwely diarth fel petawn i'n fabi clwt. Mi oedd fy *street cred* i gen i o hyd.

Mi aeth Elinor â'r gynfas hefo hi i'r golch. Mi oedd hi'n ddynes felly, yn brysur ac yn drefnus ac yn twtio o hyd. A dyma fi'n sylweddoli'n sydyn nad oeddwn i ddim yn cofio gweld Mam yn gwneud hynny erioed – tynnu llwch, smwddio, hel dillad budron at ei gilydd ben bore. Mi driais i gofio am y pethau oedd hi'n eu gwneud ond roedd hi fel petai f'atgofion i gyd yn un stwnsh. Mi oedd yna bethau, yno yn fy nghof i, ond roedd hi fel petawn i'n trio darllen sgwennu ar bapur ac yn methu, er ei fod o'n daclus i gyd, o achos bod rhywun wedi dod yno hefo beiro fawr ddu a sgriblo dros y cyfan. Yr unig beth fedrwn i'i gofio am Mam oedd y llun lloerig ola hwnnw oedd yn sgrechian yn fy mhen i: car cops a Mam yn aflonydd yn y tu ôl, yn crafangu'r ffenest bob yn ail â thynnu'i bysedd drwy'i gwallt. A hwnnw'n fudur. Oedd, mi oedd ei gwallt hi, ei gwallt hir, du hi'n edrych yn seimllyd a llipa. Mi oedd gen i gywilydd ohoni yn ei dresing-gown binc a hithau'n bnawn, a'i llygaid hi'n grwn ac yn wag fel llygaid dafad bob yn ail â rowlio'n wyllt yn ei phen hi. Un siot o rywbeth, un ffics sydyn ac mi fasai hi'n iawn am dipyn, yn edrych bron yn normal. Ond doedd 'na ddim pres ar ôl i betha felly, nag oedd? Doedd hyd yn oed Larri Fawr ddim yn ei rannu o am ddim. Fedrai hi ddim siarad, ddim anadlu, ddim byw yn ei chroen hebddo fo. Doedd 'na ddim byd arall i'w ddisgwyl wedyn, nag oedd? Dim ond ei gwylio hi, Geth a fi, yn mynd yn lloerig bost ac yn trio tynnu'i gwallt o'i phen. Iesu, mi oedd hi fel rhywbeth mewn ffilm arswyd – rhegi, sgrechian, malu'r lle, chwydu. A'r diwrnod hwnnw mi aeth ymlaen ac ymlaen, yn crynu ac yn chwysu bob yn ail, a Geth yn sgrechian bron cymaint â hi.

A wedyn, yn sydyn, mi ddaethon nhw o rywle a mynd â hi i ffwrdd...

Sgin

Ar ôl Dyf oedd hi i ddechrau. Mi oedd y diawl gwirion hwnnw newydd gael tatŵ. Presant pen-blwydd gan ei dad. Mi gafodd ddewis o ryw lyfr yn llawn lluniau o bob math, medda fo. Ac yn methu'n glir â phenderfynu rhwng eryr a dynas noethlymun. Yr eryr gymrodd o yn y diwedd, diolch i Dduw. Eryr a'i adenydd gwyrddlas yn ymestyn dros ei ysgwydd chwith. Mi oedd o'n artistwaith, chwarae teg. Roeddan ni i gyd wedi gorfod cyfaddef hynny, yn joban reit dda, o safbwynt tatŵ. Ac mi oedd y tatŵ siâp eryr, mewn rhyw ffordd *macho*, welwch-chi-fi, yn gweddu i foi fel Dyf. Mi roddodd iddo'r frawddeg agoriadol berffaith, beth bynnag, er mwyn tynnu sgwrs hefo'r merched:

'Tyrd yma, pishyn, i ti gael gweld lle ma'r deryn yn cuddio!'

Pen bach. Ond Dyf oedd o, de? Dyf a'i geg fawr a'i bryd tywyll golygus. Yn ddistaw bach mi faswn inna hefyd wedi lecio edrych fel Dyf. Mi oedd yna waed Eidalaidd ynddo fo'n rhywle, meddan nhw, ar ochor ei nain. Hawdd credu hynny, hefyd. Fo oedd yr un oedd yn denu'r genod bob amser hefo'i lygaid direidus a'i wallt sgleiniog-ddu a'r croen llyfn hwnnw oedd yn brownio'n gyflym tra oedd pawb arall yn binc drostyn ac yn drwyngoch bob ha. A Dyf ar y pryd oedd yr un yn ein plith ni hefo'r mwyaf o bres yn ei boced wedi iddo fo neidio i'r joban 'na yn y lladd-dy a'i chael hi mor handi am nad oedd neb arall yn ciwio i fyny i fynd i slogio i'r fath wallgofdy o le. Y peth cyntaf ddaru o hefo'i becyn cyflog cyntaf oedd prynu clamp o jaen aur i'w rhoi am ei wddw. *Medallion man*, myn uffar i! Mae'n debyg bod lot o genod yn meddwl ei fod o'n dipyn o wariar. Yn hync. Yn gês. Yn enwedig genod fel Kelly Quinn.

Mi fu hi â'i llygaid arno fo ers tro, yn ei fflantian ei hun o'i flaen o bob cyfle gâi hi – hi a'i ffrindiau'n dilyn ein criw ni o le i le ar nos Sadwrn, o'r 'Dragon' i'r 'Mad Max' ac ati, yn gwneud y peth yn amlwg. Mi oeddan ni i gyd – ar wahân i Dyf – wedi dechrau cymryd y peth yn jôc. Ond mi oedd hi'n dal i fod yn hogan ysgol, doedd, ac mi oedd Dyf wedi symud ymlaen oddi wrth y 'genod bach', chwedl yntau, ac yn brysur yn ymarfer ei sgiliau caru ar y genethod hŷn a oedd, yn ei dyb o, dipyn yn fwy profiadol na Kelly. A dyna lle'r oedd o – a ninna – wedi gwneud camgymeriad mawr, mawr.

Y munud y cafodd hi'i phen-blwydd yn un ar

bymtheg gadawodd Kelly'r ysgol heb sefyll yr un
arholiad. Nid bod dim yn od yn hynny. Mi ddaru
Dyf a Bŷch yr un peth. Ond yn achos Kelly, mi
oedd hi fel petai hi wedi mynd yn ddynes dros nos.
Fel petai hi wedi cael rhyw hyder newydd o rywle.
Doedd hi ddim yn ferch ysgol ddim mwy, ac roedd
hi, yn fwy na neb, yn ymwybodol o hynny. Dyna
oedd yn bwysig iddi. Cael ei hystyried fel hogan
fach ddiniwed oedd, yn ei thyb hi, yn sefyll
rhyngddi hi a Dyf. Wel, doedd 'na ddim byd i'w
rhwystro hi rŵan, nag oedd?

Nos Wener oedd hi, a bar y 'Dragon' yn llawn
lleisiau a mwg a miwsig gwael yn treiddio drwodd
o'r carioci yn y stafell nesa. Mi oeddan ni – Huwi,
Bŷch, Dyf a fi – o gwmpas y bwrdd pŵl. Siot Dyf
oedd hi, ac mi fasai hi wedi bod yn glincar o siot
hefyd, oni bai am din Kelly Quinn. Mi oedd hi'n
llenwi'i throwsus y noson honno fel mae afal yn
llenwi'i groen. Dim modfedd i'w sbario, dim llinell
wedi'i gadael i'r dychymyg.

'Faint o fet nad ydi honna'n gwisgo blwmar?'
medda Huwi.

'Be 'di blwmar?' medda Bŷch.

'Nicar, de, y pen dafad!' medda finna, ond doedd
'run ohonyn nhw'n gwrando erbyn hyn o achos
bod perffeithrwydd pen ôl Kelly Quinn wedi'u
hypnoteiddio nhw i gyd.

Mi symudodd hi'n nes at Dyf nes ei bod hi bron yn ddigon agos i anadlu yn ei glust o.

'Haia,' meddai hi wrtho fo'n gynnil. Meddyliais am gath fawr siapus yn pryfocio rhyw hen lygoden dwp.

'S'mai?' medda Dyf. Mi oedd ei lygaid o wedi dechra sgleinio fel y nionod yn y jar ar gowntar y siop tsips.

'Dwi 'rioed wedi dallt sut i chwara'r gêm yma,' meddai Kelly'n gyfrwys. Am y pŵl yr oedd hi'n sôn, debyg iawn.

Dyma ni'n sbio ar ein gilydd mewn anobaith – Huwi, Bỳch a fi.

'Pasia'r ciw 'na i Kelly, Sgin,' medda Dyf, heb na 'plîs' na 'thanciw', 'i mi gael dangos dipyn o dricia'r gêm iddi!'

A dyna'n 'ciw' ninna'n tri i fynd a'u gadael nhw i ddod i nabod ei gilydd yn well!

'Dowch, hogia. Awn ni i lawr stryd am beint,' medda fi wrth y ddau arall o achos mi oedd y rheiny'n dal i fod yn ddigon cyndyn o rwygo'u llygaid oddi ar y gwallt mawr hwnnw a'r trowsus tinboeth a'r ysgwyddau noeth oedd yn sgleinio i gyd o dan haenen o bowdwr ariannaidd.

Mi oedd Dyf wedi anghofio amdanon ni'n llwyr wrth i ni stwffio heibio iddyn nhw a'i hanelu hi am y drws.

'Ia, dowch o'ma, wir Dduw,' medda Huwi'n

sydyn, ond nid cyn iddo fo droi'i ben yn slei a dal Kelly'n rhoi winc fach awgrymog arno. Rhyfedd i minnau droi 'mhen i'r un cyfeiriad ar yr union eiliad a gweld y winc honno, gweld yr olwg fach gyfrinachol 'na'n pasio rhyngddyn nhw.

Gweld Huwi'n cochi'n annisgwyl hyd at fôn ei wallt.

Kelly Quinn

Mi oedd Mickey wedi bod i mewn ers bron i ddwy flynedd. Mickey, fy mrawd mawr i. Oes, mae blynyddoedd maith rhyngon ni. Deuddeg. Ydi, dwi'n gwybod. Mae o'n lot, yn dydi, rhwng brawd a chwaer? Ond dyna pam fod Mickey'n sbesial. Mae o wedi fy nhrin inna erioed fel pe bawn i'n sbesial. Edrych ar f'ôl i. Prynu pethau. Dwi'n gwybod ei fod o'n un gwyllt ond mae o wedi bod yn ofalus ohonon ni'r genod i gyd. A Mam, chwarae teg iddo fo, pan fyddai Dad yn cael llond cratsh ac yn mynd drwy'i bethau. Mi ydan ni'n gwybod ei fod o'n gallu bod yn ben bach. Ond Mickey ydi o, de? Mickey ni. Ac mae gynnon ni feddwl ohono fo. Mi ydan ni'n deulu, tydan? Ac eniwe, mi oedd hi'n cŵl cael brawd mawr oedd yn cael ei ystyried yn 'foi calad'. Yn wariar. Ddim yn cymryd strôc gan neb. Ac er bod gormod o flynyddoedd rhyngon ni i ni fod yn yr ysgol ar yr un pryd, roedd pawb yn gwybod ein bod ni'n perthyn. Yn gwybod amdano fo. Roedd ambell i athro yn dal i grynu yn ei sgidau dim ond wrth gofio am rai o'i antics o yn y dosbarth. Ac roedd hynny i gyd yn fwy na digon. Feiddiodd neb erioed, na phlentyn nac athro, fwlio'r un ohonon ni'r Quinns.

Pan anfonon nhw Mickey i'r jêl mi griais i drwy'r nos. A thrwy'r dydd wedyn. Crio nes 'mod i bron â thaflu i fyny, yn union fel tasa fo wedi marw. Mi aeth Siobhan â fi i lawr i'r dre i siopa dipyn, chwilio am fêc-yp newydd a ballu, cael panad mewn caffi. Unrhyw beth rhag i ni orfod meddwl am Mickey yn y clinc. Mi oedd pobol yn sbio arnon ni, yn siarad amdanon ni. Roeddwn i'n medru dweud, yn medru teimlo'u llygaid nhw ar ein cefnau ni. Mi ddywedodd Siobhan 'mod i'n dychmygu pethau, mai dim ond ambell un oedd yn edrych. Ond trio codi 'nghalon i oedd hi. Trio bod yn ddewr. A finna'n gwybod y gwir. Yn gwybod eu bod nhw i gyd yn credu mai Mickey laddodd y boi 'na tu allan i'r dafarn. Mi dreuliais i'r pnawn yn sbio drwy ffenestri siopau ac yn gweld dim byd o achos bod 'na niwl poeth pigog dros fy llygaid i.

'Lle 'dach chi 'di bod drwy'r dydd?' medda Mam pan ddanfonodd Siobhan fi'n ôl adref mewn pryd i weld fy swper i wedi caledu ar y plât. 'Ma' dy fwyd di wedi difetha yn y popty. Roisin a fi wedi'i gael o ers oria.'

Mi fwmiodd Siobhan rywbeth am fod yn hwyr yn nôl y plant o dŷ ffrind a diflannu cyn i neb sôn am Dad. Ond mi oeddan ni i gyd yn gwybod bod hwnnw allan yn rhywle'n boddi'i ofidiau ac yn diflasu'n ddistaw bach wrth feddwl amdano fo'n rowlio adref yn yr oriau mân yn rhuo *cockles and mussels alive alive-oo!*' Disgyn i'r gadair wedyn lle bydda fo'n chwyrnu tan y bore heb hyd yn oed dynnu'i sgidia.

Ydi, mae Dad yn anobeithiol. Calon fawr hefyd. Biti na fasai ganddo fo frên yr un maint! Byw am heddiw a malio dim am 'fory. Ac yn hoff iawn, iawn o'i beint! Ond mae un peth o'i blaid o. Dydi o ddim yn mynd yn wyllt yn ei ddiod 'run fath â Mickey. Mynd yn wirion o glên mae Dad, rhoi unrhyw beth i unrhyw un. Fydd o ddim yn colli'i dymer a thynnu twrw yn ei ben. Fel Mickey. Ond wedyn, ar y ddiod mae'r bai yn achos Mickey, chwarae teg. Y cwrw fyddai'n siarad, yn ei reoli o, yn gwneud iddo fo golli arno'i hun...

Mae dwy flynedd wedi mynd yn gynt nag a feddyliais i. Dwy flynedd. Dau ben-blwydd. Dau ginio 'Dolig. Adegau felly sy'n anodd. Y dyddiau sbesial. Ond roedd gweddill yr amser yn haws i'w oddef. Roeddwn i'n teimlo'n euog ar y dechrau, yn euog 'mod i'n mynd allan hefo fy ffrindiau – tafarnau, partïon. Cael laff. Oeddwn, mi oeddwn i'n euog weithiau dim ond am fy mod i'n chwerthin. Yn chwerthin am ben jôcs pobol, yn yfed, yn dawnsio tra oedd Mickey wedi'i gau mewn cell am ugain awr y dydd. Ond mi oedd gen innau fy mywyd, yn doedd? Neu felly y dywedodd Siobhan: 'Nid dy fai di ydi o, Kelly. Dos allan. Joia. Does gen ti mo'r help bod Mickey yn y clinc.'

Mi oedd hi'n hawdd i honno siarad hefyd. Dwi'n meddwl weithiau, yn ddistaw bach, fod Siobhan ei hun yn credu y gallai Mickey fod yn euog. Fasai hi byth bythoedd yn cyfaddef hynny, wrth gwrs, ond mae hi'n dweud o hyd pa mor fyrbwyll oedd o ers talwm, hyd yn oed pan oeddan nhw'n blant. Mae hi'n llawer nes at ei oed o na fi, yn cofio llawer mwy amdano fo. Ond dwi'n meddwl hefyd ei bod hi'n genfigennus, rywsut. Nid hi ydi ffefryn Mickey, naci? O, na, cannwyll llygad Dad ydi Siobhan. Wedi bod erioed. Y ferch gyntaf, de? Mickey'n hogyn ei fam, a Siobhan yn hogan ei thad. A fi? Wel, ffefryn Mickey, wrth gwrs, ac yn addoli fy mrawd mawr llygatddu, ni waeth beth a ddywedai neb amdano fo. A Roisin? O, babi pawb ydi Roisin. Tin y nyth go iawn ac yn cael ei difetha'n racs gan y teulu i gyd. Ond Mickey a fi ydi'r mêts. Dwi wedi gallu dweud pob dim wrth Mickey erioed...

Pasg oedd hi. Wel, gwyliau'r Pasg i bawb arall. I blant ysgol ac athrawon. Ond doeddwn i ddim yn blentyn ysgol bellach, a phan ddeuai gwyliau Roisin i ben, y hi fyddai'n mynd yn ei hôl i'r ysgol, nid y fi. Gwynt teg ar ôl y blydi lle rŵan a finna wedi troi'n un ar bymtheg oed. Pen-blwydd pwysig, de? Un ar bymtheg. Un o'r rhai pwysicaf. Ac un na chafodd Mickey ei rannu gyda mi.

'Mi ddaeth hwn bore 'ma,' meddai Mam. Mi oedd 'na gylchoedd cochion o gwmpas ei llygaid hi fel tasai hi wedi bod yn plicio nionod.

Mi oeddwn i'n nabod yr amlen. Amlen o'r carchar. *Visiting order* oddi wrth Mickey.

'Chdi mae arno fo isio'i gweld, Kelly,' meddai. Mi oedd ei llygaid hi'n feddal a gwlyb. Yn sbio'n ffeind arna i. 'Yli, cyw, dwi'n gwybod pa mor agos ydach chi'ch dau, ond dwi ddim yn siŵr...'

'Be? Dach chi ddim yn siŵr o be, Mam?'

'Dwi ddim yn lecio meddwl amdanat ti'n mynd i'r hen le 'na!'

Gwylltio wnes i wedyn. Troi arni hi. A difaru wedyn. Efallai 'mod i'n rhy debyg i 'mrawd mawr! Ond ar y pryd doedd gen i mo'r help. 'Yr hen le 'na.' Geiriau oeddan nhw. Iddi hi. I mi. I bawb oedd yn rhydd y tu allan i'r waliau hyll 'na. Dim ond geiriau. Ond yn 'yr hen le 'na' yr oedd Mickey ni. Tu mewn i'r waliau 'na. Tu mewn i'r gell. Mi oedd 'yr hen le 'na' yn fwy na dim ond geiriau annifyr i Mickey, yn doedd?

'Dywedwch o, Mam! Dowch yn eich blaen! Dywedwch o: 'jêl', 'clinc', 'carchar'. Ynteu a oes gynnoch chi ormod o gywilydd? Wel, does gen i ddim, i chi gael dallt! Ma' Mickey'n ddieuog, 'dach chi'n clywed? Yn ddieuog! Nid Mickey ddaru! A na, does gen i ddim cywilydd mynd i'w weld o yn y JÊL o achos mai bai ar gam gafodd o! Bai ar gam, bai ar gam, bai ar gam...!'

Roedd hi fel petai fy llais i wedi sticio ar y tri gair yna a fedrwn i ddim meddwl am ddim byd arall. Mi feddyliais i y baswn i yno am byth yn dal i ddweud yr un geiriau oni bai bod yna lif o ddagrau wedi'u dilyn nhw o rywle ac yna mi oedd Mam yn gafael yn dynn amdana i nes 'mod i wedi tawelu'n llwyr.

A do, mi gefais i fy ffordd. Mi gefais i fynd i garchar Walton i weld Mickey.

Mickey Quinn

Uffarn dân, mi fu bron i mi beidio â'i nabod hi. Fy chwaer fy hun. Mi oedd hi wedi newid cymaint mewn cyn lleied o amser. Ac yn edrych yn hŷn na'i hoed. Dim ond ychydig ddyddiau oedd yna ers iddi droi'n un ar bymtheg ond mi oedd hi'n edrych yn ddeunaw o leiaf. Mi oedd hi'n gwisgo sgert gwta a rhyw dop tynn a oedd yn dangos siâp ei chorff hi i gyd. Mi faswn i wedi medru'i hysgwyd hi am fod mor wirion. Dod i le fel hyn wedi gwisgo fel'na! I ganol dynion fel y rhain. Dydi rhai ohonyn nhw ddim wedi cyffwrdd mewn merch ers amser maith. Ac mi oeddan nhw i gyd yn sbio, yn doeddan, yn llygadrythu ar ei bronnau hi ac yn edrych yn slei ar ei gilydd wedyn. Mi oeddwn i isio'u lladd nhw i gyd, pob un sglyfath oedd yno! Fy chwaer fach i oedd hon. Mi fedrwn i deimlo'r dymer wyllt yn dechrau berwi tu mewn i mi – tuag atyn nhw, tuag at Kelly am fod mor barod i'w fflantio'i hun fel hyn. Mi oeddwn i'n ysu am godi ar fy nhraed, lluchio'r bwrdd i un ochor, a neidio i wddw'r sgriw-gwynab-tin oedd yn sefyll wrth y drws ac yn syllu llawn cymaint â'r carcharorion ar gluniau Kelly yn y sgert fach wirion 'na. Ond mi wnes i ymdrech i lyncu'r gwylltineb. Mi oedd hynny'n anodd, bron cyn waethed â llyncu llond ceg o gyfog yn ôl.

'Kelly! 'Stedda i lawr, wir Dduw!'

Mi edrychodd hi arna i mewn sioc fel petai cath fach newydd droi arni.

'Be sy? Mi ôn i'n meddwl y basat ti'n falch o 'ngweld i...'

'Iesu, Kelly! Wrth gwrs 'mod i'n falch o dy weld di! Chdi a fi, 'dan ni'n fêts, dydan? Dwi'n colli dy weld di'n fwy na neb...'

Brathodd ei gwefus, ac mi welais ei llygaid mawr hi'n gwlitho. Petai hi'n crio rŵan mi fasai hi'n edrych fel panda a'r holl fascara 'na'n dechrau rhedeg. Mi oeddwn i isio gafael amdani, ei gwasgu hi'n dynn a dweud fod popeth yn iawn. Ond doedd fiw gwneud hynny mewn lle fel hyn. Chawn i ddim ond cyffwrdd ei llaw hi ar draws y bwrdd.

'Blydi hel, Kelly! Pa liw ydi dy winadd di?'

Mi chwarddodd hi wedyn.

'Blŵ Mŵn! Ti'n lecio fo?'

Ond nid ei hewinedd gleision hi oedd y broblem, naci?

'Gwranda, cyw. Nid hefo chdi'r oeddwn i'n flin gynnau, sti, ond hefo'r rhain, de? Y pyrfyrts 'ma i gyd yn dy lygadu di, a chditha... wel, a chditha wedi gwisgo fel'na.'

'Ond ma'r rhain yn newydd,' meddai hi'n bwdlyd braidd. 'Newydd gael y top 'ma oddi ar y farchnad ddoe – y tro cyntaf i mi'i wisgo fo...'

Doedd hi ddim wedi'i gweld hi, nag oedd? Ddim wedi dallt. Mi oedd y cyfan mor syml iddi hi, mor ddu-a-gwyn, rhywsut, ac eto...

'Paid â bod mor ddiniwed, Kelly fach.'

Ond hyd yn oed wrth i mi ddweud y geiriau hynny wrthi, roeddwn i'n dechrau amau faint o ddiniweidrwydd a oedd yn dal i fod yn perthyn iddi go iawn. Efallai mai dyna oedd yn cnoi cymaint arna' i. Y ffaith nad merch fach ysgol i'w gwarchod oedd hi bellach.

'Tria ddallt, Kel. Y top tynn 'na. Sgert gwta. Yn fan'ma a'r rhain i gyd yn sâl isio dynas!' Ond mi driais ysgafnu fy llais a gwneud jôc o'r peth. Mi wenodd hi'n gam wedyn a rhoi ei siaced yn ôl amdani. Nid bod honno'n cuddio rhyw lawer, chwaith!

'Rhag iddyn nhw fynd yn wallgo wrth edrych arna i,' meddai hi'n ddireidus.

Gwelais wedyn y basai hi'n ddoethach i mi droi'r stori. Wedi'r cyfan, doedd arna i ddim isio gwastraffu'r munudau gwerthfawr oedd yn weddill dim ond yn malu awyr ynglŷn â'i dillad hi.

'Be ti 'di bod yn ei neud hefo ti dy hun, ta?'

'Dwi 'di cael job,' meddai Kelly'n fodlon. 'Ar y *checkout* yn PRICELAND.'

'Mi ddywedodd Mam yn ei llythyr diwetha dy fod ti'n chwilio am rwbath erbyn y basat ti'n 'madael o'r ysgol.'

Gwgodd Kelly.

'Ma' Mam yn dweud gormod,' meddai hi'n bigog. 'Cael blaen arna i hefo'r newyddion i gyd. Fydd gen i ddim byd ar ôl i'w ddweud wrthot ti os ydi hi wedi clebran am bob dim...!'

Fedrwn i ddim peidio â gwenu wrth wrando arni hi'n traethu. Yr un hen Kelly oedd hi o hyd – hawdd i'w phechu, pigog, gwylltio ar ddim. A difaru wedyn, wrth gwrs! Gwelais fy mherson-oliaeth fy hun ynddi – y ffiws byr, yr atebion parod. Efallai mai dyna pam ein bod ni'n cyd-dynnu cystal – y naill yn deall rhwystredigaeth y llall.

'Beth am gyda'r nos?' medda fi wedyn, gan feddwl fy mod i'n sôn am un o'i hoff bynciau hi. 'Sut ma' 'neit-leiff' Pentir-coch y dyddiau yma?'

Jôc oedd hynny i fod hefyd, ond mi sylwais ar ei hwyneb hi'n cymylu, fel awyr yn cau hefo glaw.

'O, ti'n gwbod,' meddai hi'n llipa.

'Nac'dw, dydw i ddim,' medda finna'n smala. 'Dyna pam dwi'n gofyn, de?'

'O, does 'na fawr o ddim byd yn digwydd,' meddai hi wedyn. 'Yr un hen lefydd, yr un hen betha...' Wedyn mi gododd ei llygaid a golwg euog arni wrth sylweddoli 'mod i wedi darllen drwyddi. 'O, Mickey! Dwi'n mynd allan, yn cael hwyl, yn dal i fynd i'r 'Dragon', i'r 'Mad Max' ar nos Sadwrn pan fydd 'na ddisgo neu rwbath ond...'

'Ond be?'

'Dwi'n cofio amdanat ti'n styc yn y twll yma, dydw, a dwi'n teimlo'n euog i gyd!'

'Chdi'n euog? Pam?'

'Am fy mod i'n rhydd a chditha ddim, de?'

'Lol ydi hynna! Paid â meddwl fel'na, Kel!'

'Ond does gen i mo'r help...'

'Gwranda. Ma' gen ti hawl i joio. Dwi'm isio meddwl amdanat ti'n ista'n tŷ yn hel meddyliau fel rhyw hen wraig, siŵr iawn! Ma'n rhaid i ti gario 'mlaen, Kelly. Byw dy fywyd. Fydda i ddim i mewn yn fan'ma am byth, sti!'

'Ti'n siŵr, Mickey?'

'Wrth gwrs 'mod i'n siŵr. Mi faswn i'n teimlo'n waeth petaet ti'n ddigalon i gyd o f'achos i. Mi fydda i'n ocê, sti. Ma' isio mwy na lle fel hyn i goncro Mickey Quinn!'

Goleuodd ei hwyneb wedyn. Mi oedd hi fel petai hi wedi cyffesu'i phechodau wrth yr offeiriad a hwnnw newydd ddweud y byddai popeth yn iawn. Dim ond bryd hynny y dechreuodd hi ymlacio, siarad go iawn, hel straeon am hwn a'r llall, sôn am ei ffrindiau, am fechgyn...

'Felly mi wyt ti'n ffansïo'r Dyf 'ma, ta?' medda
fi'n bryfoclyd. Mi oeddwn i'n nabod ei frodyr o.
Wariars i gyd. Hogia iawn i'w cael o'ch plaid chi,
yn sefyll tu ôl i chi mewn ffeit! Rhai ffyddlon i'w
ffrindiau. Ond pe baech chi'n eu tynnu nhw yn
eich pen, mi oedd hi'n flêr arnoch chi. Ac mi
oeddan nhw'n sticio hefo'i gilydd. Pe baech chi'n
rhoi cic i un, mi oeddan nhw i gyd yn cloffi. Yn
cadw cefnau'i gilydd. Ond dyna sy'n iawn, de?
Dyna mae teulu i fod i'w wneud.

Mi soniodd Kelly wedyn am weddill y criw.
Mêts y Dyf 'ma. Meical Sgin oedd un. Rêl llo, yn
ôl be fedrwn i'i ddallt. Dwi'n cofio'i fam o'n hel
dynion o gwmpas y dre pan oeddwn i'n hogyn
ysgol. Linda Ffeind oeddan nhw'n ei galw hi. Rêl
un. Gwneud y goes hefo Derec, hogyn Huws
Bildar. Ma' siŵr bod y diawl gwirion hwnnw wedi
sylweddoli bellach na chafodd o fawr o fargian.

Doeddwn i'n nabod dim ar deulu'r Bỳch 'ma y
soniodd hi amdano fo wedyn. Ond doedd 'na fawr
o obaith i'r creadur diawl hwnnw os oedd o wedi
disgyn i grafangau Larri Fawr a'i debyg, nag
oedd? Ei fam o'n jynci hefyd, meddai Kelly. Cyw
wedi'i fagu yn uffern, felly, medda finna'n swta.
Rhy swta, efallai. Nid fy lle i oedd beirniadu neb,
debyg, ond dyna fo. Dwi'n gwybod 'mod innau'n
un gwirion, ond does gen i ddim 'mynadd hefo
drygs na'r bobol sy'n mocha hefo nhw.

Mi oedd 'na ryw foi arall. Rhyw Huwi. Mi oedd Kelly'n gyndyn iawn o ddweud llawer amdano fo i ddechrau.

'Huwi Pritchard,' meddai Kelly. Mi oedd 'na dinc amddiffynnol yn ei llais hi fel petai hi'n amau y baswn i'n ffrwydro.

Mi oedd yr enw – Pritchard, Pritchard, Pritchard – yn crafu yn erbyn fy mrên i fel rhaw ar garreg. Pritchard...

'Mae'i dad o wedi marw,' meddai Kelly wedyn, fel tasai arni hi isio i mi deimlo bechod drosto fo. 'Mi gafodd o'i ladd – ei gar o'n mynd dros ddibyn. Rhyw fis ar ôl i ti ddod i fan'ma...'

Pritchard. Ia, siŵr iawn. Pritch. Y bastad copar 'na ddaru bwytho 'nhin i a fy landio i yn y twll yma. Mi oedd mynd dros y dibyn 'na'n ffordd rhy hawdd iddo fo fynd...

Felly hogyn Pritch oedd yr Huwi 'ma.

'Ti'n gwbod pwy ydi o, yn dwyt, Kelly? Y? Mab i gopar. Mab y copar ddaru fy rhoi fi yn fan'ma!'

Ddywedodd hi ddim byd, ac mi atebodd hynny fy nghwestiwn i.

'Kelly? Dywed rywbeth. Sut fedri di fod yn ffrindia hefo hwnna...?'

'Ia, ond dim fo wnaeth hyn i ti, naci, Mickey? Sgynno fo mo'r help bod 'i dad o...'

'Paid â rhoi'r crap yna i mi, Kelly! Hogyn Pritch ydi o. Toriad o'r un brethyn. Pam oedd Pritch isio 'nghroen i ar y pared? Y? Ti 'di meddwl am hynny? Naddo! Wel, mi ddyweda i wrthot ti pam. Mi oedd rhywun yn talu iddo fo, doedd? I'n landio fi yn y cachu. Nid jyst y polîs oedd isio fi. Ma' gen i elynion, ti'n gweld. Eniwe, doedd dim ots yn y pen draw, nag oedd? Dim ots gan y moch pwy oedd yn euog go iawn. Na, doedd dim ots, cyn belled â bod ganddyn nhw rywun i sefyll yn y doc 'na i gymryd y bai. Ac mi oedd hynny'n plesio Pritch a'i grônis i'r dim, doedd? Pres breibs ar ben pres promosion i brynu petha neis i'r Misus a'r hen Huwi bach. Ti'n dallt rŵan, Kelly? Dim ots amdana i'n drewi yn jêl a finna'n ddieuog...'

Efallai 'mod i wedi mynd dros y top, braidd. Dwi'n cofio codi fy llais, a dod â 'nwrn i lawr ar y bwrdd nes bod y sgriw'n sbio'n hyllach nag erioed arna i a rhai o'r ymwelwyr eraill yn dechrau anesmwytho. Mi oedd Kelly wedi dychryn hefyd achos mi lithrodd y lliw i gyd o'i hwyneb hi o dan yr holl golur 'na. Mi ddechreuais i ddifaru ychydig, ond wedyn mi oedd hi'n iawn iddi gael gwybod, yn doedd? Yn iawn iddi gael y ffeithiau. Iesu, os oedd hi'n ddigon hen i wisgo fel'na, mi oedd hi'n ddigon hen i ddelio hefo'r ffaith mai baw isa'r doman oedd tad Huwi Pritchard, ac na faswn i ddim yn trystio'r un o'i deulu o'n bellach nag y medrwn i boeri.

Mi ganodd y gloch. Blydi clychau. Blîpars.

Seirens. Clychau. Mi oedd hi'n amser i ni ei sgrialu hi'n ôl i'n tyllau fel llygod mawr unlliw, ufudd.

'Bron i mi anghofio,' meddai Kelly'n sydyn. 'Mi ddois i â'r rhain i ti.'

Smôcs. Gwm cnoi. Bar mawr o *Dairy Milk* a dau *Cadbury's Creme Egg*.

'Wel, mae hi'n Basg, tydi?' meddai hi, bron yn swil.

Kelly. Kelly fach. Dwi'n colli nabod arnat ti. Dwi ddim isio i ti fynd...

Rhoddodd sws fach sydyn ar fy moch i wrth iddi droi i fynd a dweud:

'Mi ga i ddŵad i dy weld di eto'n fuan, caf, Mickey?'

'Wel, cei, rywbryd ma' siŵr ond...'

'Dwi'n addo y bydda i'n dewis dillad callach tro nesa! Tracsiwt fawr lac i guddio siâp fy mhen ôl i i gyd!'

Mi oedd hi'n trio'i gorau glas i fod yn hwyliog, yn trio peidio dangos 'mod i wedi brifo'i theimladau hi. Ac wedyn mi aeth hi, diflannu'n araf ymysg y merched llwyd 'na i gyd – mamau gwelw, gwragedd hiraethus, cariadon dagreuol. Mi oeddwn i'n teimlo'n fwy euog ynglŷn â siarad yn llym hefo hi'r diwrnod hwnnw nag ynglŷn â... wel, nag ynglŷn â sawl peth a wnes i erioed, am wn i. Ac yn teimlo'n euog fy mod i wedi'i gorfodi

75

hi i fod yn un o'r dorf ddigalon 'na oedd yn ei gwneud hi am y drws.

Kelly fach. Fy chwaer fach i a oedd wedi heneiddio mewn hanner awr oherwydd fy ngeiriau chwerw i.

Kelly, fy chwaer, a ddaeth i mewn yn un ar bymtheg oed, a mynd adref flynyddoedd yn hŷn.

Kelly Quinn

Fedrwn i ddim anghofio'r hyn a ddywedodd Mickey am dad Huwi. Y ffordd y duodd ei wyneb o pan soniais i am Huwi'i hun. A'i eiriau hallt wedyn: toriad o'r un brethyn, baw isa'r doman...

Mi oedd pawb ohonon ni'n gwybod mai mab i blisman oedd Huwi Pritchard. Felly doedd ganddo fo ddim dewis o'r dechrau. Mi oedd yn rhaid iddo fo'i brofi'i hun, bod 'run mor galed â'r lleill neu gymryd ei sathru. Ac er bod Dyf yn ei ystyried ei hun yn foi caled, doedd o byth, am ryw reswm, yn medru cael y gorau ar Huwi, ac felly mewn rhyw ffordd od mi ddaethon nhw'n ffrindiau, yn rhan o'r un criw.

Mi oedd 'na bedwar ohonyn nhw, yr un pedwar ers dyddiau'r ysgol gynradd. Bỳch oedd yr un i fynd oddi ar y rêls go iawn oherwydd y cyffuriau. Ond mi oedd o'n ddigon annwyl yn ei ffordd ei hun. Cael hyrddiau gwahanol fyddai Bỳch, cyfnodau o fod yn bwdlyd ac yn fywiog bob yn ail. Y drygs oedd yn siarad bryd hynny, mae'n debyg, ac nid Bỳch ei hun. Mi oedd y lleill i gyd fel tasai ganddyn nhw bechod drosto fo ac eto, weithiau, ar ddiwrnod da, mi oedd yna ryw urddas o gwmpas Bỳch nad oedd yn perthyn i'r un o'r lleill. Be ddywedodd Mickey amdano fo? Cyw wedi'i fagu yn uffern. Dwi'n cofio i ni sôn am y ddihareb honno yn y dosbarth Cymraeg rhyw dro. Un o'r adegau prin pan oeddwn i'n gwrando. Ac mae'n debyg na wnes i ddim ond gwrando bryd hynny am fod y gair 'uffern' yn swnio fel rheg. Cywion a fegir yn uffern. Y lle 'na o dan y grât lle mae'r lludw'n disgyn oedd 'uffern'. Lle cynnes braf i roi wyau i ddeor heb i'r iâr fod yn eistedd arnyn nhw. Lle mor braf fel nad oedd y cywion adar isio dod o'na. Yno yn 'uffern' yr oedden nhw isio bod. Ddim yn gwybod am unlle gwell, nag oedden? Wn i ddim a oedd hynny'n wir am Bỳch, ei fod o'n gaeth i gyffuriau am iddo gael ei fagu yn eu hogla nhw. Ond mae un peth yn wir. Mi oedd o'n debycach i gyw deryn, a'i grysau fo'n hongian yn llac am ei wddw main o, na neb arall oeddwn i'n nabod.

Sgin oedd y tawelaf ohonyn nhw. Fo oedd yn cadw'i ben pan oedd hi'n mynd yn flêr rhwng pawb arall. A fo, rhywsut, oedd yn edrych ar ôl Huwi. Nid bod hwnnw angen meindar. Mi oedd Huwi'n ddigon 'tebol i edrych ar ei ôl ei hun. Ond mi fyddai Sgin yno drwy'r adeg. Yno yn y cysgodion. Yn sobor pan oedd angen rhywun i ddreifio'r hen fan 'na oedd gan Huwi. A fo oedd yr un hefo 'syb' pan fyddai'r lleill yn sgint. Felly, er bod y pedwar ohonyn nhw'n fêts, roeddan nhw rywsut yn ymrannu wedyn yn 'fêts gorau' – Dyf a Bỳch ar y naill law, a Huwi a Sgin ar y llall.

Mi ges i fy machau ar Dyf ymhen hir a hwyr a chymrodd hi fawr o amser i mi ddysgu dau beth: y peth cyntaf oedd mai rhyw ffrindiau-ar-yr-wyneb oedd Dyf a Huwi yn y pen draw ac roedd 'na hen gnecs yn codi rhyngddyn nhw'n wastad, a rhyw genfigen od weithiau, fel dau lew yn trio cyd-fyw am nad oedd modd penderfynu pwy oedd y bòs. Dechreuais innau amau ymhen dipyn bod y ffaith mai Dyf, ac nid Huwi, oedd wedi fy nghael i wedi ychwanegu rhywfaint at y cenfigen hwnnw. A'r ail beth? Wel, yr ail ddarganfyddiad oedd nad oedd yr hen Dyf yn fawr o garwr wedi'r cwbwl. Lot o dwrw ac ychydig iawn o daro, a dweud y gwir. Mi oedd o'n frysiog a dibrofiad er ei holl frolio, a'i dechneg caru o oedd trio mynd o dan fy nillad i yn y ffordd gyflymaf bosib rhag ofn iddo fedru cael cyfle am beint sydyn arall hefo'r bois cyn amser cau. A dyna pryd y dechreuais innau ddiflasu, a gadael i'm llygaid grwydro.

Doedd dim rhaid i mi fynd yn bell iawn, nag oedd? Mi faswn i wedi gorfod bod yn ddall a byddar i beidio sylweddoli bod Huwi'n fy ffansïo fi. Siawns am dipyn o hwyl, medda finna wrthyf fy hun. Dipyn o sbort go iawn. Gorffen hefo Dyf er mwyn mynd hefo Huwi. Mi fasai yna ffeiarwyrcs wedyn, basa? A'r cwestiwn mawr wrth gwrs oedd: a oeddwn i'n ffansïo Huwi? Ateb: ym – wel, mi oeddwn i'n ffansïo cael dipyn o sbort. Mi oedd hynny'n ddigon, am y tro.

Ac yna, un noson, mi newidiodd pethau. Ocê, mi oeddwn i wedi lecio'r syniad o gael Dyf a Huwi'n cwffio drosta i. Dipyn o laff fasai fo – dyna i gyd. Ond y noson honno mi aeth y cynlluniau hynny'n ffradach yn 'y mhen i. Dywedwyd rhywbeth. Rhyw bethau. Amdana i. Am Mickey. Pethau oedd yn brifo. Pethau hyll, cas a ddaeth â geiriau Mickey yn ôl fel blas cwrw'r noson cynt ar geg rhywun y bore wedyn: toriad o'r un brethyn...

Nos Wener oedd hi a finna i fod i gyfarfod Dyf yn y 'Dragon' am naw. Hon oedd y noson yr oeddwn i am orffen hefo fo. Ac mi oeddwn i'n gynnar, doeddwn? Yr adrenalin yn llifo, methu byw yn fy nghroen. Mi oeddwn i'n meddwl hefyd y baswn i'n cael gweld y genod yn gyntaf ond doedd y rheiny ddim wedi cyrraedd chwaith. Wedyn mi gofiais i bod Sharon isio gweld rhyw raglen ar y teledu cyn dod allan y noson honno. Mi es i i'r lle chwech i gribo 'ngwallt ac ati, gwastraffu dipyn o amser rhag 'mod i'n edrych yn despret yn eistedd yn y bar ar fy mhen fy hun.

Mi oedd hi'n noson glir, ddistaw a lleisiau'n

cario i mewn drwy ffenestri agored toiledau'r merched. Yn y 'Dragon' mae toiledau'r merched a thoiledau'r dynion drws nesa i'w gilydd ac am fod y waliau mor denau mae sawl cyfrinach wedi'i bradychu'n ddifeddwl ar noson dawel. Wel, roedd hi'n dawelach nag arfer bryd hynny – dim sŵn o'r bar am ei bod hi'n gynnar a ffenestri'r ddau floc o doiledau i gyd ar agor hefyd am ei bod hi'n noson braf.

Mi oeddwn i wedi eistedd ar gaead y pan yn un o'r ciwbicls i gael smôc pan glywais i fwy na dim ond twrw dŵr yn taro porslen yr ochor arall i'r pared. Mi glywais i leisiau. Ac yn fwy na hynny, mi wnes i eu nabod nhw a deall pob gair.

'Ti'n gwbod bod Dyf yn mynd i orffen hefo Kelly heno, dwyt?' Sgin oedd yn siarad, hen lais main dan-din a finnau'n fferru, yn dal mwg y sigarét yn fy ngheg ac ofn anadlu rhag i mi golli'r hyn oedd yn dod nesaf. Sgin oedd wrthi eto:

'Mi fyddi di'n iawn yn fanna wedyn, Huwi. Ma' hi â'i llygad arnat ti ers oes pys, ddwedwn i!'

Daeth rhyw sŵn chwerthin isel i ddilyn y geiriau a wedyn mi glywais i lais Huwi'n dweud:

'Honna! Dydi hi ddim mo'r teip o hogan rwyt ti'n ei gwadd i de ar ddydd Sul, nac'di? Meddylia – mynd â Kelly Quinn adra i gyfarfod Mam! 'S'mai, Mam. Kelly 'di hon, fy nghariad i. O, a gyda llaw, mae'i brawd hi yn y clinc am fwrdro ryw foi a ma' pob hogyn yn y pentre wedi bod ar ei chefn hi!'

Mwy o chwerthin amrwd. Mi oedd y dagrau'n pigo'n llygaid i ond doedd fiw i mi grio a difetha fy mêc-yp a gwneud mwy o waith siarad iddyn nhw. Beth bynnag, doeddwn i ddim i fod i wybod am y sgwrs yma, nag oeddwn? Efallai y dylwn i fod wedi diolch iddyn nhw'n ddistaw bach am fy rhybuddio i ynglŷn â Dyf. O leia rŵan mi faswn i'n cael y cyfle i'w ddympio fo'n gyntaf cyn iddo fo wneud i mi edrych yn ffŵl. Wedi'r cwbwl, roeddwn i wedi bwriadu rhoi'i gardiau iddo fo beth bynnag. Dim ond mater o gael fy mhig i mewn gyntaf oedd hi rŵan, de? Colled leia'r farchnad oedd Dyf eniwe. Ond Huwi. Mi oeddwn i'n meddwl bod 'na fwy o waelod yn Huwi. Ac i feddwl 'mod i wedi cadw'i gefn o pan oedd Mickey'n rhedeg arno fo. Mi oedd Huwi'n siarad eto:

'Meddylia, Sgin. Un o'r Quinns! Mi fasa'r hen ddyn yn troi yn 'i fedd! Cofia, faswn i ddim yn troi 'nhrwyn ar un tro hefo hi! Ond ei chanlyn hi'n selog? No we! Pac o drwbwl fasa honna, yli. Ond mi fasai hi'n iawn am noson i ddysgu dipyn o driciau i mi!'

Roedd eu chwerthin cras yn troi fy stumog i. Y peth cyntaf a ddaeth i 'meddwl i oedd rhedeg allan o'r ciwbicl 'na'n syth i'r toiled drws nesa, lle dynion neu beidio, a rhoi fy sawdl stileto yn rhywle y basai Huwi Pritchard yn cofio amdano fo am byth. Ac wedyn, mi stopiais i, anadlu'n ddwfn, pwyllo. Gorffen fy sigarét. Meddwl. Meddwl am fyrbwylltra Mickey fy mrawd. Na, nid dyna'r ateb. Nid gwylltio. Nid ypsetio a cholli arnaf fy hun. Pwyll oedd piau hi os oeddwn i am achub fy ngham fy hun. Ac yn sydyn, mwya sydyn, wrth i mi wylio stwmp fy sigarét yn ffislo'n lwmp bach gwlyb cyn dechrau nofio fel pry wedi boddi yng ngwaelod y pan, daeth syniad. Gwych o syniad. Syniad am noson fythgofiadwy. O achos mai dyna a ddywedodd Huwi, de? Un noson. Fasa fo ddim yn gwrthod un noson. A dyma fi'n meddwl:

Ocê, ta, os mai felly mae'i dallt hi. Gwatsia di dy hun, Huwi fab Pritch. Mi gei di noson i'w chofio gan Kelly Quinn!

Sgin

'Be?' medda fi.

Mi oedd llygaid Bỳch fel petaen nhw'n mynd i wahanol gyfeiriadau ond ar yr un pryd. Doedd dim angen athrylith i weld bod ei ben o ar chwâl.

'Rêp,' medda Bỳch wedyn.

Fedrwn inna ddim meddwl yn rhyw glir iawn chwaith. Dwi'n cofio sbio'n wirion a gofyn: Pwy? A Bỳch yn sbio'n ôl 'run mor wirion ac yn dweud: Be ti'n feddwl 'pwy?' ? A'r ddau ohonon ni'n meddwl yr un peth dim ond nad oedd neb yn ei ddweud o. Bod y syniad o Huwi'n treisio Kelly Quinn yn lloerig. Yn chwerthinllyd, hyd yn oed. Yn gwbl, gwbl wallgo.

'Ti'n tynnu 'nghoes i, Bỳch! Y? Yn dwyt? Dywed y gwir! Ti 'di cymryd cymysgedd cryfach nag arfer neu rwbath...?'

Ond doedd o ddim, nag oedd? Mi oedd Bỳch o ddifri. Ei ddwylo fo'n crynu'n waeth nag arfer. Mi wyddwn i wedyn ei fod o'n dweud y gwir, o achos mi eisteddodd o i lawr a rhoi'i ben yn ei ddwylo a dechrau crio 'fath â hogan.

'Iesu,' medda fi. O achos bod y geiriau i gyd

wedi gwagio o 'mhen i. O achos ei fod o'n wir. Eu bod nhw wedi llusgo Huwi i mewn yn oriau mân y bore. Y cops wedi arestio mab i gopar. Mab un o'u mêts eu hunain.

Iesu.

Ac wedi'i gyhuddo fo o dreisio Kelly Quinn.

Kelly Quinn

Be sy? Dwyt ti ddim yn swil, nag wyt, Huwi? Na...
doeddwn i ddim yn meddwl dy fod di... Tyrd, mi
awn ni i orwedd wrth y coed 'na draw yn fan'cw.
Be'? Oes arnat ti ofn cael olion glaswellt ar dy
Chinos newydd neu rwbath? Tyrd yn dy flaen,
welith neb, siŵr iawn, yn y tywyllwch 'ma. Brysia,
cyn i mi newid fy meddwl, o achos dydw i ddim yn
mynd i gefn yr hen fan fudur 'na, i ti gael dallt...!

Be rŵan, eto? Blydi hel, Huwi! Mi fasai rhywun
yn meddwl nad wyt ti ddim isio – mi wyt ti wedi
anghofio be? O! Uffarn dân, does dim isio i ti
boeni am rheiny siŵr. Fyddan ni ddim angan un,
na fyddan, a finna ar y Pil. Ymlacia, wnei di...

Ia, dyna ti. Dyna fo, tyrd. Be sy'n bod arnat ti,
dywed? Nid dol tsieina ydw i, sti. Wna i ddim torri
yn dy ddwylo di! Mi gei di afael ynof fi'n dynnach
na hynna... paid â bod ofn gwasgu 'mreichiau fi.
Gwasga, Huwi. C'letach. Ma' lot o genod yn lecio
i ti fod dipyn yn arw – go iawn, wir i ti. Tyrd, Huwi.
C'letach. C'letach. Gwasga 'mreichiau i, Huwi, er
mwyn i mi gael gweld ôl dy fodia di – ia, fanna –
brathu, ia, crafa... sgin ti ddim gwinadd? Na, dydi

o ddim yn brifo, siŵr. Does dim isio i ti boeni am fy mrifo i, Huwi bach...

Dyf

Mi ges i sbario dweud wrthi hi, do? Nid bod hynny wedi poeni rhyw lawer arna i!

Mi oedd Kelly wedi dechrau mynd ar fy nerfau i. Mae genod sbeitlyd yn mynd yn bôring ar ôl dipyn, hyd yn oed rhai hefo pen-olau anhygoel o ddeniadol! Un felly oedd Kelly. Jadan fach gegog, yn dweud pethau cas am bobol o hyd, rhedeg arnyn nhw, ei ffrindiau hi ei hun, hyd yn oed. Nid bod ots gen i am y rheiny, chwaith – ei mêts hi oeddan nhw, de? Adar o'r unlliw. Dim byd i'w wneud hefo fi. Ond pan ddechreuodd hi wneud rhyw hen sylwadau dan din am yr hogia mi ges i lond bol, do? Ma' Sgin a Bỳch a Huwi a fi'n mynd yn ôl yn bell. Yn rhy bell i mi adael i slag fach goman fel Kelly redeg arnyn nhw. Hi neu nhw. Felly'r oeddwn i'n gweld pethau. Ac mi ddewisais i'r hogia. Mi fasai isio hogan go sbesial iddi fod yn bwysicach na fy mêts i. Rhyw ddiwrnod mi ddaw 'na un, a gwneud i mi gallio. Yr 'Un', de? Merch fy mreuddwydion i! Ac mi wyddwn i, hyd yn oed bryd hynny, nad Kelly fasai hi. No we! Hyd yn oed i ddiawl gwirion 'fath â fi!

Ond – syrpreis, syrpreis – Kelly orffennodd hefo fi. Dim ffys. Dim lol. A finna'n disgwyl dagrau mawr a sterics.

''Dan ni ddim yn mynd i nunlle, nac'dan, Dyf? Ein perthynas ni, dwi'n feddwl.' Mi oedd hi'n swnio'n rhy aeddfed i fod yn Kelly, bron. Rhywbeth ddarllenodd hi ar un o'i thudalennau problemau gwirion oedd y crap yna i gyd, garantîd. A dyma hi'n dweud wedyn: 'Mi fasa'n well i ni orffen petha' heno…'

'Iawn, ta,' medda fi, jyst fel'na, de, o achos nad oedd ddiawl o ots gen i mewn gwirionedd. Hynny ydi, doedd dim ots gen i ynglŷn â Kelly ei hun, nag oedd, ond – wel, mi oeddwn i'n teimlo'n dipyn o wali am ei bod hi wedi cael y blaen arna i. Hi oedd wedi cael y llaw uchaf, de, o achos mai fi oedd i fod i'w dympio hi! Ta waeth, mi ges i 'madael â hi. Dyna oedd yn bwysig. Ta-ta, Kelly Quinn.

Neu dyna a feddyliais i. Ond ddaru hi ddim ei heglu hi o'r golwg i chwilio am dalent newydd. Mi oedd hi'n dal i sefyll yn f'ymyl i am sbel, hofran o amgylch y bwrdd pŵl a'r bar bob yn ail, a'i sodlau uchel hi a'r colur-llygaid sgleiniog 'na'n gwneud iddi edrych fel rhyw bryfyn mawr diarth yn chwilio am rywun i'w bigo. Fuo hi ddim yn chwilio'n rhy hir.

Mi ddaeth Sgin a Huwi o rywle a rhyw olwg fel cŵn wedi bod yn lladd defaid ar y ddau.

'Ti 'di sortio'r busnas 'na?' medda Sgin, a rhoi winc ar Huwi.

Finna'n gadael iddyn nhw feddwl mai fi orffennodd hefo hi. Isio cadw fy *street cred*, doeddwn?

'*Free agent* rŵan, Sgin,' medda fi. '*Love them an' leave them*', de!' A throi fy sylw wedyn yn syth bin at y bwrdd pŵl o achos bod Kelly'n sbio. Ond nid arna i, naci? Mi ddalltish i wedyn, do? Ar ôl Huwi oedd hi! Mi ddaru Sgin rhyw stumiau arna i a'r peth nesaf a welais i oedd Kelly'n ei gwneud hi'n syth am Huwi hefo'r wên-lipstic fawr honno. Mi feddyliais i amdano fynta rŵan yn gorfod anadlu'r sent rhad hwnnw y byddai hi'n ei wisgo bob amser.

'O, na,' medda fi wrth Sgin. 'Dim Huwi! Ein mêt ni ydi o, Sgin! Dos i'w achub o o'i chrafangau hi, wir Dduw!'

'Paid â rwdlian,' medda Sgin. 'Mae o wrth ei fodd! Gad iddyn nhw. Mi wneith les iddo fo gael dipyn o brofiad! Fedar hyd yn oed Kelly Quinn mo'i lyncu o'n gyfa, sti!'

'Iesu, wn i ddim,' medda finna, yn meddwl am yr olwg fu ar fy ngwddw fi ar ôl iddi drio gwneud pryd ohono i rhyw noson. Fel tasa cath wyllt wedi trio fy llarpio fi!

'Mae o'n edrach fel tasa fo'n joio, beth bynnag!' medda Bŷch, a oedd wedi sleifio i'n canol ni ac i'r sgwrs ar ei wadnau meddal heb i neb sylwi. Mi oedd 'na ogla rhyfedd ar ei ddillad o.

Dyma ni i gyd yn edrych i gyfeiriad Kelly a Huwi. Mi oedd hi wrthi'n chwythu rhywbeth i'w glust o a fynta'n chwerthin a'r peth nesaf a welson ni oedd braich Kelly'n nadreddu o gwmpas ei ganol o. Mi lithrodd ei llaw wedyn yn feddiannol i boced tin ei jîns o.

'Na fo, ylwch!' medda Bŷch yn ddireidus. 'Kelly ffôr Huwi. Trŵ lŷf! Faint o fet y byddan nhw'n gadael yn gynnar heno?'

Mi oedd llygaid Huwi'n llawn sêr, ac mi oedd o'n gwenu'n wirion. Yn mwynhau'r holl sylw. A finna'n dal i gofio rhai o'r pethau sbeitlyd yr oedd Kelly wedi eu dweud amdano fo. Na fasai hi byth bythoedd yn gallu ffansïo rhywun mor bôring â Huwi Pritchard.

Ond nid felly oedd pethau'r noson honno, naci? Mi oedd blew amrannau Kelly'n hir ac yn ddu, yn gwneud i'w llygaid hi ysu yn ei phen hi fel dau bry cop. Mi oedd hithau fel petai hi wedi gwau ei gwe o gwmpas Huwi. Ei rwydo fo. Mi oedd o wedi anghofio popeth amdanon ni, yn nôl diodydd iddi, gafael amdani, dod â'i wyneb at ei hwyneb hi. Lwc owt, Huwi'r hen fêt, rhag ofn iddi weld y plorod 'na sy'n llechu o dan dy ffrinj di...!

Wedyn, yn sydyn, mi drodd Kelly ei phen tuag ata i. Mi ddaliais ei llygaid hi, dim ond am eiliad, ond mi oedd hynny'n ddigon i mi sylwi bod 'na ryw sglein peryglus ynddyn nhw. Meddyliais am botel gwrw wedi malu'n deilchion, a'r haul arni – darnau brown, pigog, caled yn llosgi'n boeth.

Ac yna, ymhen hir a hwyr a hwrê fawr, dyma fi'n ei chlywed hi'n dweud yn uchel:

'Tyrd, Huwi. Mi awn ni rŵan, ia...?'

Cwestiwn, ond heb fod yn gwestiwn chwaith. Kelly oedd y bòs. Kelly a'i llygaid llym a'i dillad tynn. Kelly'n cymell. Kelly'n cynllwynio rhywbeth. Kelly'n ddel, mewn rhyw ffordd wynebfain a chyfrwys. Yn ddel fel mae llwynoges ifanc, siarp yn ddel.

Ac mi waeddodd rhywun o ganol y mwg a'r sŵn wrth iddyn nhw wthio'u ffordd allan heibio'r criw oedd wedi hel i gornel y bar, gwaedd feddw, goeglyd yn trio tynnu coes:

'Hei, gwatsia di dy hun efo honna rŵan, Pritch...!'

Feddyliais inna ddim byd o'r peth, naddo. Laff oedd o, de? Dipyn o sbort ar gorn Huwi. Y tynnu coes. Y geiriau meddw...

Na, feddyliais i ddim ar y pryd pa mor debyg i rybudd y swniai'r geiriau hynny...

Sgin

'Ddoist ti â ffags?' Mi oedd o'n edrych yn uffernol. Yn llwyd, grynedig. 'Run lliw â Bỳch pan fyddai hwnnw wedi bod ar bendar go iawn.

'Uffar, Huwi! Chân nhw mo dy gadw di yma fel hyn...!' Er 'mod i'n gwybod bellach nad oedd hynny ddim yn wir. Dim ond yn Llys y Goron oeddan nhw'n cynnal achosion o rêp. A than hynny mi oedd Huwi'n gorfod stiwio yn y twll yma.

'Ddoist ti â nhw, ta be?' medda Huwi wedyn. Mi oedd o'n gwasgu'i lais o dwll ei wddw, fel dyn yn dal ei afael ar ymyl clogwyn a'i fysedd o'n bygwth gollwng.

'Ti wedi mynd i smocio'n uffernol o drwm ers pan wyt ti yma,' medda fi, heb sbio i'w lygaid o, a gwthio'r pacedi sigaréts ar draws y bwrdd.

'Nid... nid i mi... y maen nhw i gyd.'
'Be?'
'Syrfeifio, de, Sgin? Dyna 'di'r gamp rŵan. Mae hi'n syndod be neith rywun i ti yn fama am smôc. Neu be na wnân nhw...' Rhyw ychwanegiad swta,

trist oedd y geiriau ola 'na. Huwi'n prynu llonydd hefo ffags.

'Be ddigwyddodd?' medda fi. Mi oedd o wedi bod yn disgwyl i mi ofyn ers meitin, ond mi arhosais am dipyn, rhoi cyfle iddo fo. Mi oedd y croen o gwmpas ei lygad dde fo'n sgleinio'n grwn fel cragen rhyw hen falwen ddu. Cythral o sheinar.

'Wel, wnes i ddim cerdded yn erbyn y drws, naddo?' medda Huwi'n boenus. Mi oedd yna friw ar ei wefus isaf hefyd, a wnâi iddo siarad yn gam, fel petai o newydd fod at y deintydd.

'Blydi hel, Huwi,' medda fi. Mi oedd yna dwrw drysau'n cau, o hyd ac o hyd, o agos, o bell. Clepian cau. Synau metalaidd, trwm. Cau. Cau. Drysau'n cau...

'Fedra i ddim cymryd mwy o hyn, Sgin.'

Mi oedd yna ogla yno, ogla disinffectant yn pigo fy ffroenau i – ogla trwm, hyll o lân yn gwneud i mi feddwl am bobol yn sgwrio lloriau. Ond doedd o ddim yn ddigon glân i guddio'r arogleuon eraill a oedd yn llechu odano fo – ogla gwaed, ogla piso, ogla ofn...

'Wnes i mo'i rêpio hi, Sgin.'

'Dwi'n gwbod, Huwi...'

'Ma' nhw am 'y ngwaed i yn fama...'

'Ond dwyt ti ddim wedi dy gael yn euog o ddim byd...'

'Dim ots am hynny. Ma'r cyhuddiad yn ddigon –
ac ar ben hynny, mae pwy ydw i, pwy oedd Dad...'

'Be ti'n feddwl?'

'Iwsia dy ben, Sgin! Mab i gopar dwi, de? I fewn
yn fama hefo'r seicos yma – Duw a ŵyr faint o'u
tadau nhw, eu brodyr nhw, ffrinda iddyn nhw
ddaru'r dyn 'cw eu siopio ar hyd y blynyddoedd?
Y? Ti'n dallt rŵan?'

'Ond dydi hynny ddim yn deg...!'

'Teg? Teg, ddeudist ti? Blydi hel, Sgin! Be ŵyr yr
haflug sy yn fama be ydi 'teg'? Dydi'r gair erioed
wedi bod yn eu geiriadur nhw. Ond 'dial'. Tria
hwnna. Dyna i ti air maen nhw'n ei ddallt!'

'Ond ar *remand* wyt ti, de? Maen nhw i fod i
edrach ar d'ôl di, dydyn? Y sgriws...'

Gwenodd Huwi'n chwerw. Roedd hi'n amlwg
bod hynny'n hambygio'i wefus o.

'Edrach ar ôl nymbar wan ma' pawb mewn twll
fel hyn. Ond fedra i mo'i neud o ddim mwy, Sgin.
Sbio dros f'ysgwydd, ofn mynd am gawod, ofn
byta rhag ofn fod rhywun wedi fflemio iddo fo –
neu waeth!'

Huwi oedd y boi calad erioed. Arweinydd
naturiol ein ciang ni. Yn fòs o ryw fath hyd yn oed
ar Dyf. Mi oeddan ni i gyd yn sbio i fyny at Huwi.
Ond nid Huwi oedd hwn o 'mlaen i rŵan a'i wyneb
o'n glytwaith o gleisiau. Cysgod Huwi oedd o,
rhywun hefo'r un llais, yr un lliw gwallt, yr un

nodweddion corfforol, dim ond bod y fersiwn yma'n welwach, yn feinach, yn eiddilach. Ond nid llygaid Huwi oedd y llygaid. Doedd 'na ddim ffeit ar ôl ynddyn nhw. Roedd rhywun wedi lluchio dŵr oer dros ei enaid o. Wedi diffodd y tân.

'Dwi'n mynd o'ma,' medda Huwi'n sydyn.

'Wel, wyt, siŵr,' medda finna. 'Fydd hi ddim yn hir iawn rŵan, na fydd? Mi gei di ddyddiad, yn cei, yn o fuan? Ar gyfer yr achos llys. A wedyn...'

'A wedyn mi fyddan nhw'n fy nghael i'n euog. Fy nhaflu fi'n ôl i jêl a lluchio'r goriad. Mi fasa'n well gen i gael gwn ar fy nhalcen, Sgin...'

'Paid â malu...!'

'Sbia'r dystiolaeth, bendith Dduw i ti! Fedra i ddim gwadu na fues i efo hi! Ma'r olion yno i gyd – gwaed, croen, gwallt, had... Mi wnaethon ni – mi ddaru ni... Ond wnes i mo'i threisio hi. Wir Dduw i chdi, Sgin! Nid rêp oedd o...!'

Mi oedd pobol eraill yn yr ystafell ymwelwyr yn codi'u pennau, yn sbio'n hyll.

'Cym' bwyll rŵan, Huw...' Ond mi oeddwn i'n clywed fy llais fy hun yn bell yn fy nghlustiau, fel twrw'r môr mewn cragen. Doeddwn i ddim yn swnio fel fi fy hun.

'Un ffordd neu'i gilydd, dwi'n mynd i ddŵad o'ma,' medda Huwi'n benderfynol. 'Dwi ddim am gymryd fy ngham-drin fel hyn. Fedra i mo'i ddal o...'

'Sefa dy dir, Huw. Paid â gadael i'r diawlad dy sathru di!'

'Dwi'n mynd i ddianc o'ma, Sgin!'

'Wyt, siŵr Dduw!' Ac eto, roedd gormod o arddeliad yn llais Huwi i mi feddwl mai jôc oedd o go iawn.

'...o'ma, y ffordd gynta'... disgwyl fy nghyfla...'

'Mi ddo i â theisen siocled i ti tro nesa, yli – cuddio hac-sô yn ei chanol hi...!'

Trio ysgafnu pethau oeddwn i, de? Codi'i galon o. Dangos 'mod i'n ei gredu o.

Ond...

'Ti ddim yn fy nghredu fi, nag wyt, Sgin?'

'Siŵr Dduw 'mod i'n dy gredu di! Ma' pawb yn dy gredu di!'

'Na, nid ynglŷn â Kelly dwi'n feddwl rŵan. Ynglŷn â fama. Dwi'n mynd i ddŵad o fama, Sgin. Dwi'n mynd i ddianc...'

Y creadur diawl. Mwydro'i ben oedd o. Y blydi lle 'na wedi mynd ar ei frêns o. Mi oedd o'n despret, yn gorffwyllo. Doedd dim isio doctor i ddweud bod Huwi'n cael ei gam-drin. Tu allan a thu mewn. Bod Huwi'n dechra drysu...

Ond nid Huwi oedd yn drysu erbyn heddiw, naci? Fo oedd yn iawn, de? O achos mai dianc ddaru o. Yn ei ffordd ei hun.

Mae pobol sy'n dianc o'r jêl yn cael eu dal, ran

amlaf. Eu dal, a'u cosbi. Eu llusgo yn eu holau i bydru o dan glo.

Ond nid Huwi. Chawson nhw mo Huwi. Ar ddiwedd y dydd mi ddaru o sbort am eu pennau nhw i gyd. Am fy mhen i, am beidio'i gymryd o o ddifri. Am feddwl mai jôc ddu, ddespret oedd y cyfan.

O achos mi aeth Huwi'n bell, bell i ffwrdd.

Aeth Huwi mor bell fel nad oedd modd i'r un plisman ar wyneb y ddaear ei lusgo fo'n ôl.

Kelly Quinn

Mae'n rhaid i mi gael dweud wrth rywun, *Father* Saunders. Does 'na neb arall...

Sut fedrwn i ymddiried yn neb? Fedrwn i byth gyfaddef wrth Siobhan, Mam... Ma' Mam yn mynd drwy Uffern o achos hyn. A Dad. Mae o wedi hitio'r botel yn waeth nag erioed a fi'n sy'n gyfrifol. Fiw i mi gyfaddef y gwir, *Father*. Fiw i mi. Mi fasan nhw'n rhoi 'nghroen i ar y parad. Yn digio hefo fi go iawn. Maen nhw'n fy nghredu fi, 'dach chi'n gweld. Yn trio bod yn gefn i mi drwy'r hunllef 'ma i gyd. Ond y drwg ydi ein bod ni i gyd yn byw trwy wahanol fersiynau o'r un hunllef – nid yr un math o uffern ydi o. A dim ond y fi sy'n gwybod...

Wnes i erioed feddwl y basai pethau'n mynd cyn belled. Ei ddychryn o. Dyna'r cwbl oeddwn i isio'i wneud. Talu'n ôl iddo fo am siarad yn fy nghefn i... am fod yn fab i'r plisman ddaru siopio fy mrawd i...

Dwi'n gwybod eich bod chi'n gwybod. Er bod 'na gyrtan rhyngon ni. Er eich bod chi tu mewn i'r bocs 'na'n gwrando a finna allan yn fan'ma. 'Dach chi'n nabod fy llais i – nabod fy nheulu fi. Ond wnewch chi ddim dweud, na wnewch? Chewch chi ddim dweud...

Ma' gan Mam ffydd mewn pobol 'fath â chi. Mi fydda hi'n dweud o hyd am *Father* Manahan: Dyn da. Dyn ffeind. Yn barod i wrando, i ddweud wrtha i sut i drio bod yn well person... O, mae hi'n eich lecio chitha rŵan hefyd. Dim ond ei bod hi'n cymryd ei hamser cyn closio at bobol. Ma' hi'n ddynas dda, *Father* Saunders. Gwraig Gatholig dda. Yn dal i bydru 'mlaen trwy bopeth er na chafodd hi erioed fywyd hawdd, rhwng Dad a Mickey a – phopeth. Ond ma' hi'n dal i gredu. Ei ffydd hi ydi o, de? Mae'r atebion mor glir iddi – mae hi'n cael cysur o'r lle 'ma, o'r mymbo-jymbo crefyddol 'ma i gyd. Sori, doeddwn i ddim yn meddwl bod yn gas. Wir. Dyna pam dwi wedi dod yma heddiw. Trio chwilio am atebion dwi hefyd. Am y tawelwch meddwl ma' Mam yn ei gael ar ôl bod yma hefo chi...

Mi fasai hi o'i cho tasai hi'n gwybod 'mod i wedi mynd ar y Pil mor ifanc. Ma' hyn i gyd wedi'i chwalu hi. Meddwl 'mod i wedi cael fy nhreisio...

Mi oedd gweiddi 'rêp' yn syniad da i gychwyn. Yn ffordd glyfar o gael yr Huwi 'na i chwysu dipyn. Dysgu gwers iddo fo. Dyna oeddwn i'i isio. Os oedd o am fy ngalw fi'n 'slag', wel, mi gafodd o weld faint o 'slag' y gallwn i fod, yn do?

Dwi'n gwybod rŵan ei fod o'n beth mawr i'w wneud. Yn beth uffernol i'w wneud – nid yn unig i Huwi, ond i Mam, i 'nheulu fi i gyd. Mi aeth y cyfan allan o reolaeth, rywsut, o'r munud y cerddais i mewn i orsaf yr heddlu'r noson honno a fy mascara fi'n rhedeg i lawr fy wyneb i gyd. O achos mi oedd hi'n bwysig ar y pryd fy mod i'n crio, yn doedd? Yn edrych yn ypsét. A doedd hynny ddim yn anodd. Fy ngorfodi fy hun i grio. Ar ôl yr hyn oeddwn i newydd ei wneud. A meddwl wedyn am y pethau y galwodd Huwi fi... y chwerthin amlwg, cras hwnnw. Meddwl am Mickey yn y jêl.

Wnes i ddim aros i feddwl am y canlyniadau i gyd. Ddim go iawn. Am be oedd yn mynd i ddigwydd – i Huwi, i mi. Yr hunllef o archwiliad meddygol a finna'n methu stopio crio go iawn yr adeg honno oherwydd bod popeth wedi mynd allan o reolaeth yn llwyr a finna'n dechrau sylweddoli beth yn union roeddwn i wedi'i wneud. Ond roedd hi'n rhy hwyr. Yn rhy hwyr i dynnu fy stori'n ôl. Ac O! Mi oedd gen i stori gredadwy, yn doedd? Rhy gredadwy o'r hanner. A gormod o dystiolaeth. Yr holl stwff fforensig 'na – gronynnau bach meicroscopig o 'nghroen i dan 'winadd Huwi. Ond fi – fi fynnodd ei fod o'n fy nghripio fi, crafu, tynnu gwaed. Doedd o ddim isio gwneud – ei wyneb o... dwi'n cofio'i wyneb o. Hyd yn oed bryd hynny mi oedd golwg wedi dychryn arno fo...

Dwi isio stopio'r cyfan, *Father* Saunders, ond fedra i ddim. Ma' pethau wedi mynd yn rhy bell a does gen i mo'r gyts i gyfaddef y gwir rŵan. Dim ond wrthach chi, de – o achos 'mod i'n gwybod na fasach chi ddim yn cael dweud. Mae cyffes yn gysegredig, tydi? Yn rhywbeth cyfrinachol. Fel dweud wrth ddoctor. Dim ond bod hyn 'chydig bach yn haws na hynny. Mae hi'n haws fel hyn am nad ydan ni'n gweld ein gilydd. Dwi'n falch o hynny. Yn falch na fedrwch chi mo 'ngweld i. O achos na fedrwn i ddim mo'ch wynebu chi, sbio i'ch llygaid chi; dwi'n teimlo mor euog mae arna i isio cyfogi. Gwastraffu amser yr heddlu, brifo Mam, fy nheulu i gyd, Huwi. Ei fam yntau... Dim ond rŵan, wrth feddwl am boen fy mam fy hun, yr ydw i'n sylweddoli faint o boen mae Menna Pritchard yn mynd drwyddo fo...

A'i fêts o. Maen nhw'n edrych arna' i fel taswn i'n faw, *Father*. Nhw sy'n iawn hefyd, de? Nhw oedd yn iawn o'r dechrau. Mi ydw i'n faw, dim gwerth fy nabod...

Mi groesodd Sgin y stryd rhag iddo orfod anadlu'r un awyr â fi. A Dyf – mi ddaeth Dyf ata i yn y siop tsips a dweud mewn llais uchel o flaen pawb yn y ciw: 'Iesu, lwcus fues i, de, Kelly? Cael gwarad arnat ti! Be ti'n mynd i'w neud rŵan, ta?

Mynd yn lleian, ia? O achos fydd 'na neb isio cyffwrdd pen bys ynot ti bellach, na fydd, rhag ofn iddyn nhw landio ar eu pennau yn jêl. Meddylia – mi allswn i fod wedi bod yn byta uwd am flynyddoedd yn lle Huwi dim ond oherwydd dy fod ti'n ormod o...'

Orffennodd o mo'i frawddeg yn fwriadol. Ond mi wyddwn i, a phawb arall, pa air oedd ar ei feddwl o. Mi aeth y lle'n ddistaw i gyd, dim ond twrw ffrio a phapur yn cael ei lapio am tsips pobol. Ac mi ddechreuodd fy llygaid i bigo 'run fath yn union ag y gwnaethon nhw yn nhoiledau'r 'Dragon' pan glywais i Huwi a Sgin yn dweud petha hyll amdana i. Ogla saim, ogla casineb pobol, finegr a dagrau am y gorau i bigo'n llygaid i...

Doeddwn i'n disgwyl dim gwell gan Dyf a'i dymer wyllt. Ac mi fihafiodd Sgin yn union fel y meddyliais i y basa fo – pwdu, troi'i ben draw. Gwrthod cymryd arno 'mod i'n bod. Ond Bỳch. Bỳch ddaru fy nychryn i fwyaf. Y jynci bach llwydaidd, disylw 'na a wnaeth i mi deimlo'n futrach na neb.

Mi oeddwn i'n cerdded heibio'r arhosfan bysiau. Wyddwn i ddim bod 'na neb yno nes iddo fo, Bỳch, gamu allan a sefyll yn fy llwybr i. Mi gefais i andros o fraw nes i mi sylweddoli mai'r llipryn hwnnw oedd o. Y cyw uffern ei hun!

'Symud,' medda fi'n swta. Doeddwn i ddim am iddo weld ei fod o, o bawb, wedi fy nychryn i.

'Hŵr,' medda fo, yn ddistaw bach. Sibrydiad bron. Mi oedd gair felly'n waeth o'i ddweud yn ddistaw. 'Ma'n mêt i yn jêl o d'achos di.'

Mi driais i lyncu ond doedd gen i ddim poer. 'Dos o'n ffordd i, Bŷch.'

Ond mi ddaeth o'n nes, ac roedd esgyrn ei wyneb o'n amlwg. Roedd o fel sgerbwd byw.

'Mae o wedi cael cweir ganddyn nhw,' meddai.

'Be?'

'Yn jêl, de? Ma' 'na uffar o lanast ar ei wyneb o rŵan...'

Ac wedyn mi boerodd o. Trochion hyll o boer yn llithro dros flaen fy esgid i.

Mae ganddyn nhw'r hawl i 'nghasáu i, *Father*. Dyna ydi 'nghosb i, de? Ond sut fedra i gyfaddef y gwir wrth bobol? Alla i byth... mi oedd dod yma atoch chi'n ddigon anodd...

Plîs, *Father*. Dywedwch wrtha i. Fel byddwch chi'n ei ddweud wrth Mam. Be ydi fy mhenyd i? Be sy'n rhaid i mi ei wneud er mwyn i mi gael maddeuant?

Bỳch

Ti'n meddwl bydd adenydd yn dy siwtio di, Huwi'r hen fêt? Mi gei di fflio rŵan. 'Fath â fi. Dwi'n fflio ers talwm er 'mod i i lawr yn fan'ma o hyd. *Flying Without Wings*, de, Huwi? Clincar o gân oedd honno. Cofio? Chditha'n eistedd yn gwrando arni hi yn y fan y diwrnod hwnnw ond yn cymryd arnat nad oeddat ti ddim rhag ofn i Dyf gymryd y mic a dweud mai cân pwffs a genod oedd hi! Ond ma' gen titha *wings* rŵan, boi, a fedar neb dy ddal di bellach. Mi fedri di fynd drwy'r awyr am byth a hynny heb orfod talu'r un geiniog i Larri Fawr! Y Ffics Fawr sy'n para am byth bythoedd – Amen!

Dal d'afael, Huwi. Dwi'n dod efo chdi am sbin! Mae o'n dechrau gafael rŵan, yn dechrau gweithio. Mae angen mwy arna i'r dyddiau hyn – mwy, yn amlach, er mwyn i mi gael yr un effaith. Dydi o'n dda i ddim fel arall, yli, pan nad wyt ti'n cael digon. Jyst teimlo dipyn yn chwil wyt ti bryd hynny ond rŵan...

Ydi. Mae o'n dechra rŵan, Huwi. Dwi'n teimlo'r ddaear yn mynd yn bellach oddi wrtha i... felly oedd hi i ti, ia? Pan – adewaist ti...? Deimlaist ti dy draed yn cael eu codi, dy gorff di'n mynd yn ysgafn i gyd, fel pluen... cwmwl... codi'n uwch ac yn uwch, i fyny fry...

Mi ddaw rŵan – yr eiliad arbennig 'na, y trobwynt – y darn lle mae fy stumog i'n gwneud campau-tin-dros-ben fel taswn i'n hyrddio at i lawr ar rolarcôstar. Plymio. Teimlo'n ysgafn, mor ysgafn nes 'mod i'n hofran uwch ben fy stumog fy hun. Isio chwydu wedyn. O! yn uffernol o isio chwydu, ond dim ond am ychydig bach, de? Eiliadau. Peidio'i gwffio fo. Jyst mynd efo'r teimlad. Reidio'r teimlad-isio-cyfogi fel tasat ti'n cael dy gario ar don. Mae o'n mynd wedyn. Y teimlad sâl-môr. Pan wyt ti ar dy ffordd i lawr. Yn clirio. Wedyn mae'r *buzz* yn dechrau, y cerdded-cymylau. Rhyfedd fel ma' dy drwyn di'n clirio bryd hynny hefyd – fel tasat ti newydd fyta peth-da menthol. Dy ffroenau di mor agored, mor glir nes maen nhw'n brifo...

Brifo. Oedd o'n brifo? Pan neidiaist ti? Cicio'r blydi gadair 'na o'r ffordd... Dwi'n meddwl amdanat ti'n rhwygo'r gynfas 'na, yn gwneud rhaff i ddianc. Rhaff i'w rhoi am dy wddw dy hun... Cynfas wen fel adenydd angal...

Sut angal wyt ti, Huwi boi? Un gwyn hefo polo mint yn sbarclo uwch dy ben di, ia, fel un o'r rheina sy ar goedan 'Dolig? Ynteu wyt ti'n edrych fel oeddat ti ers talwm, cyn bod sôn am 'Rysgol

Fawr? Cyn bod genod a drygs a jêl yn bod. Ers talwm pan oedd pryfed cop a llygod bach a churo ar ddrysau hen bobol yn jôc. Pan nad oedd neb yn bod ond y ni – chdi, a Sgin, a Dyf a fi.

Ia, Huwi? Fel'na wyt ti rŵan, ia? Wedi mynd yn hogyn bach yn ôl, pan oedd gen ti dad o hyd, inc ar dy fysedd, mwd ar dy bennaglinia – popeth fel ers talwm heblaw am dy wddw di, heblaw am y rhimyn coch 'na fel ôl rhaff... Er nad oedd gen ti ddim rhaff. Dim tei. Dim carrai esgid. Dim belt ar dy drowsus. Rhag ofn.

A chditha'n glyfrach na nhw. Fel erioed. Ynte, Huwi? Cael y gair ola. O achos eu bod nhw wedi gadael i ti gael cynfas ar dy wely, yn doeddan? Un gul, gras ond yn ddigon da...

Mi ddylet ti fod yn angal rŵan, sti, Huwi. Er na fuost ti ddim felly pan oeddat ti'n fyw, naddo? Uffar bach mewn croen oeddat ti go iawn! Ond rŵan – mi ddylat ti gael fflïo hefo'r angylion, siŵr iawn. Bod yn lân ac yn bur i gyd. Fel babi bach. Bod i fyny yn fanna hefo'r saint. Gwneud synnwyr, dydi? Yn enwedig a chditha wedi clymu dy gynfas wen am dy wddw, a'i gwisgo fel coler gron...

Saunders

Mi oeddwn i'n gwybod. Yn doeddwn? Yn gwybod y gwir. Gwirionedd a lifodd o lygad y ffynnon.

Peidiwch â deud. Fiw i chi ddeud. Cyffes... cyfrinachol, yn dydi? Dwi'n gwbod na chewch chi ddim deud...

Na, doedd gen i ddim hawl i ddatgelu'r un gyffes. Mi wyddwn i hynny. Mi wyddai hithau hynny. Ond mi oedd yna hogyn yn y ddalfa wedi cael bai ar gam tra 'mod innau wedi cael gwybod y gwir.

Ceisiais ei chynghori hi. Do. Do, wir. Gwneud fy ngorau glas i apelio at ei chydwybod hi. Er nad oedd gen i'r hawl i'w pherswadio, mi driais i agor ei llygaid hi. Cyn i'r achos ddod i'r llys, cyn gwastraffu mwy o amser, cyn achosi mwy o boen. Cyn i rywbeth gwaeth ddigwydd...

Peidiwch â, deud. Fiw i chi...

A gweddïais. Drosti hi. Dros Huw Pritchard. Drosof fy hun. Disgwyl am ateb. Am arweiniad. Ond fedrwn i ddim byw yn fy nghroen. Aeth yr oriau'n ddyddiau a finna'n tin-droi, yn cael fy nhynnu rhwng fy nyletswydd i 'nghrefydd a fy nyletswydd i'r heddlu. Fy nyletswydd i Huwi. A'r gyffes, y gyfrinach hyll 'ma fel petai hi'n tyfu'n wyllt tu mewn i mi a finna'n drysu dan ei phwysau hi. Oriau'n mynd yn ddyddiau. Finna'n disgwyl i Dduw ymyrryd. Wn i ddim ddaru O ai peidio. Dydw i ddim yn siŵr hyd heddiw beth oedd Ei Fwriad O.

Ond os oedd O wedi bwriadu achub croen Huw Pritchard, fe adawodd bethau ychydig yn rhy hwyr.

Sgin

Mi wylion ni'r cnebrwn nes diflannodd o o'r golwg i lawr Allt Plas 'fath â neidar lwyd.

Cnebrwn Huwi.

Sleifar o hers. Mercedes Benz. Mi fasa'n gneud cant a hannar mewn cachiad ar stretj hir 'fath â Lôn Twyni.

Ond cropian mynd oedd hi heddiw, yr injan fawr yn dal yn ôl fel teigar ar jaen. Mynd dow-dow, fesul modfedd bron, ar hyd yr hanner milltir rhwng Capel Libanus a Mynwent Erw Wen. Cerdded ddaru ni – Bỳch, a Dyf a fi. Mi oeddan ni'n dal yno o flaen y ceir.

'Dros ben wal fasan nhw'n ei godi o ers talwm,' medda Dyf. 'Am ladd 'i hun, de?'

Mi oedd y geiriau ar flaen fy nhafod i: Cau hi'r llymbar gwirion. Sgin ti'm mwy o barch na hynna at un o dy fêts pennaf? Heddiw o bob diwrnod... Ond fedrwn i mo'u dweud nhw. Fedrwn i ddweud dim o achos bod fy llais i wedi'i fanglo i gyd ac mi wyddwn i nad oedd gen i ddim byd yn fy ngwddw'r funud honno heblaw gwich. Mi wyddwn i hefyd mai siarad ar ei gyfer oedd Dyf.

110

Malu cachu er mwyn cael rhywbeth i'w ddweud rhag dangos i neb ei fod o'n sofft. Rhag dangos ei fod yntau hefyd wedi mynd yn racs tu mewn. Ond doedd dim ots gan Bỳch am bethau felly. O achos mi oedd hwnnw'n crio fel plentyn bach – dagrau mawr cyfan crwn. Mi oedd o wedi cael benthyg siwt o rywle, siwt hen-ffasiwn hyll a'i hysgwyddau hi lot yn rhy fawr iddo, ac mi oedd y trênyrs diawledig 'na am ei draed o. Bỳch druan. Doedd o ddim wedi crio fel'na ers pan wahanon nhw fo a Gethin bach. Mi aeth Dyf ato fo, gwasgu'i ysgwydd o ond wyddai Bỳch ddim ei fod o yna. Mi oedd o'n hongian yn llipa tu mewn i'w ddillad-benthyg, fel bwgan brain ar y glaw.

Y tro diwetha i mi fod ym Mynwent Erw Wen oedd pan gladdon ni Taid. Mi oedd ei garreg fedd o'n dal i edrych yn newydd, y sgwennu'n sgleinio'n wynnach arni nag ar lot o'r lleill. Nag ar un tad Huwi hyd yn oed. Arfon Owen Pritchard. Ditectif Sarjant. *'Yn Angof Ni Chaiff Fod'*. Mi fuon ni'n chwarae yma lot ers talwm – Huwi, Bỳch, Dyf a fi. Chwarae cowbois rhwng y cerrig beddi. Uffar, lle da oedd o i wneud hynny hefyd! Digon o lefydd i guddio, doedd? Codi o'r tu ôl i'r cerrig a saethu'n gilydd. *'Bite the dust, you son-of-a...!'* Llwch. I'r llwch. Dim ond nad ydi Huwi'n llwch eto. Ei gladdu gafodd o. Mae hi'n uffernol o anodd gorfod meddwl am Huwi'n gorwedd yn fanna nes pydrith o'n sgerbwd. Mi fasa'n well o lawer tasa fo'n llwch a ninna'n cael ei ollwng o'n rhydd i'r pedwar gwynt. Dyna fasai wedi teimlo'n iawn, yn beth parchus i'w wneud, gollwng Huwi'n rhydd go iawn...

Ond doedd o ddim yn wynt braf y diwrnod hwnnw. Nid gwynt o'r môr oedd o a'i ddannedd o'n clecian. Naci, gwynt oddi ar y tir oedd hwn, gwynt stêl o waelod y dre ag ogla ymdrechion pobol arno fo, ogla pobol yn rhygnu yng nghanol y mwg a'r baw yn y twll din byd 'ma, ogla'r ffatri gwaith plastigs a'r lladd-dy lle'r oedd Dyf yn gweithio.

Roedd hi'n oer yno, hyd yn oed pan oeddech chi'n sefyll yn y cysgod. Mi aeth Dyf a Bỳch am beint wedyn. Iawn, medda finna wrthyn nhw, mi ddo i ar eich holau chi mewn munud, ocê? Ocê. Y diwrnod hwnnw mi oedd popeth yn 'ocê' a ninna'n bod yn glên hefo'n gilydd nes ei fod o'n brifo.

Fi oedd yr ola' i adael y fynwent a welais i mohoni hi nes 'mod i wedi mynd heibio'r giât bron. Mi oedd hi'n llechu yn y cysgodion. Fel llofrudd. Mi ddywedais i'r peth cyntaf a ddaeth i 'mhen i:

'Be ddiawl ti'n da yma? Sgin ti'm cywilydd dangos dy wyneb, dywed?'

Mi oedd ôl crio arni ond doedd dim ots gen i.

Tasai honna'n crio am weddill ei hoes, fasa fo ddim yn ddigon. A dyma hi'n dweud, mewn llais dyfrllyd, hunandosturiol, fel tasai hi'n meddwl y basai ei geiriau pitw hi'n medru gwneud pethau'n well:

'Eith Huwi ddim i Uffern, Sgin...'

'Nag eith, Kelly. Maen nhw'n cadw lle i chdi yn fanno, yli,' medda fi. Iesu, mi oeddwn i isio'i brifo hi! A doeddwn i ddim yn meddwl y basai hi'n meiddio fy ateb i. Ond fe wnaeth. Dim ond brawddeg. Ond roedd cymaint o dristwch, edifeirwch hyd yn oed, yn sŵn ei geiriau hi fel y bu bron i mi deimlo bechod drosti hi, petai hynny'n ddim ond am eiliad. A'r hyn a ddywedodd hi oedd:

'Wyddost ti be, Sgin? Cywion a fegir yn Uffern 'dan ni i gyd yn y pen draw.'

Mi drois i oddi wrthi hi wedyn. Troi ar fy sawdl a mynd. Mi oeddwn i'n mygu wrth anadlu'r un awyr â hi. Felly dyma fi'n plygu 'mhen yn erbyn y gwynt a'i gwneud hi'n ôl am y dre. Peint hefo'r hogia' oedd pia hi. C'nesu. Boddi gofidiau. Mi wyddwn i'r ffordd heb sbïo, a da o beth oedd hynny, o achos na fedrwn i weld diawl o ddim. Dyna'r drwg, pan ydach chi'n trio cerdded a chrio ar yr un pryd. Ond doedd dim ots, nag oedd? O achos mi fedrwn i glywed ogla'r dre wrth i mi nesáu: ogla cyfarwydd y ffatri a'r lladd-dy yn dweud 'mod i bron iawn â chyrraedd yn f'ôl. Ogla chwys a llafur a gwastraff a gwaed...

Ogla fel'na'n union sydd yn Uffern ei hun, siŵr o fod.